L'éveil du dragon

Jean-Luc Bizien

L'éveil du dragon

Les Empereurs-Mages
TOME 2
BAYARD JEUNESSE

Pour Serge Brussolo,
qui m'a donné envie d'écrire,
et pour son Roi-Squelette,
qui m'inspira ce Dragon !

Jean-Luc Bizien

Illustration de couverture : Jean-Yves Kervévan

3, rue Bayard, 75008 Paris
ISBN : 2 227 76200 4
Dépôt légal : juin 2000

Loi 49-956 du 16 juillet 1949 sur les publications destinées à la jeunesse

1

Selenæ paressait sous le soleil de cette fin d'après-midi d'été. Accoudé à la fenêtre du donjon, Kaylan laissait divaguer son regard sur les toits et les terrasses qui s'étendaient à perte de vue. À ses pieds, les habitations livraient le spectacle tranquille d'une mosaïque de couleurs chatoyantes. L'Empereur-Mage s'étira longuement, étouffa un bâillement et s'en retourna à sa table de travail.

Il s'y installa et embrassa le décor d'un coup d'œil circulaire. Des papiers attendaient, soigneusement classés, qu'il y appose son sceau impérial. Deux fauteuils confortables étaient disposés en vis-à-vis. Des tapis précieux recouvraient partiellement le parquet marqueté. Aux murs, des étagères couraient, chargées d'ouvrages couverts de cuir à la tranche frappée d'or.

Kaylan secoua la tête en souriant comme un enfant : depuis que Sheelba et lui avaient accepté de régner sur Selenæ, la vie était douce et calme. La capitale prospérait, les habitants vivaient heureux… Et l'impératrice était tellement belle !

Kaylan ferma les yeux, et le sourire de Sheelba apparut aussitôt derrière ses paupières closes : oui, Sheelba était belle, elle resplendissait. Plus encore depuis que la Lune sombre leur avait accordé un merveilleux bonheur : dans quelques jours, quelques heures peut-être, Kaylan et Sheelba vivraient la naissance de leur premier enfant.

Des oracles et des mages étaient arrivés des quatre points cardinaux. Rivalisant d'originalité, ils avaient tous assuré aux monarques les plus grandes joies. Ils se perdaient en conjectures, s'opposaient pendant des heures : les uns prétendaient que l'enfant serait un fils, valeureux et sage comme son père ; les autres affirmaient que la fille qui naîtrait bientôt serait aussi belle que sa mère, et qu'elle la suivrait sur le chemin difficile des arts étranges…

Sheelba, incrédule, fronçait invariablement ses jolis sourcils et accueillait leurs déclarations avec un sourire épanoui. Elle ponctuait les débats de son rire cristallin, posait délicatement la tête sur l'épaule de son époux :

– Quel qu'il soit, murmurait-elle, cet enfant sera notre digne héritier…

Alors, Kaylan fondait de bonheur à l'idée que cette femme qu'il chérissait plus que tout allait lui donner un enfant.

Le souverain soupira. Oui, la vie était belle à Selenæ. Les deux Empereurs-Mages avaient changé : lui n'était plus ce jeune guerrier fougueux, prompt à se jeter sans réfléchir au-devant des pires dangers. Il avait gagné en sagesse, il avait découvert la magie, il avait… vieilli ?

Il eut un geste insouciant : non, il n'était pas vieux ! Il avait mûri, tout simplement. Il se sentait homme, et découvrait d'autres plaisirs, d'autres valeurs. N'était-il pas capable aujourd'hui de lancer quelques sorts, lui, le guerrier qui avait passé sa jeunesse à manier l'épée ?

De son côté, Sheelba s'était tournée vers le métier des armes. Elle pouvait désormais rivaliser avec les meilleurs bretteurs du palais.

Arh'En Dal, le grand prêtre de la Lune sombre, veillait sur eux. Ses conseils les avaient toujours éclairés, et les deux souverains lui devaient beaucoup. C'était sans nul doute grâce au vieil homme que Kaylan et Sheelba étaient des monarques adulés par la population de Selenæ…

Que pouvait-il leur arriver de mieux, aujourd'hui, que cette naissance, qui viendrait couronner leur bonheur ?

Trois coups brefs retentirent à la porte, mettant un terme à la rêverie de Kaylan.

Arh'En Dal entra et referma soigneusement la porte derrière lui avec une mine de conspirateur. Il paraissait soucieux. Kaylan s'en amusa : le vieil homme s'inquiétait souvent d'un rien. Les problèmes les plus simples prenaient pour lui des allures de catastrophe. Mais Arh'En Dal les aimait tous deux comme ses enfants, et le couple impérial avait beaucoup appris à ses côtés.

Kaylan accueillit chaleureusement le grand prêtre de la Lune sombre :

– Comment va mon vieil ami, ce matin ? Me portes-tu de bonnes nouvelles de ma bien-aimée ?

Le grand prêtre secoua la tête. Une profonde ride barrait son front.

– L'impératrice va pour le mieux, commença-t-il.

– À la bonne heure ! se détendit Kaylan. Ta mine grise n'annonçait rien de bon, et j'ai craint un moment que tu ne te fasses oiseau de mauvais augure…

Arh'En Dal l'exhorta au silence d'un geste de la main.

– Hélas, Kaylan, l'heure est grave.

Kaylan, visage fermé, sonda le vieil homme du regard.

– Je t'écoute, souffla-t-il.

Arh'En Dal s'éclaircit la voix :

– Je… je me suis éveillé tôt ce matin, et…

– Voilà bien une histoire ! coupa Kaylan. Tu as toujours vécu ainsi ! Tu te couches tôt, tu dors peu, et tu es toujours debout avant le lever du soleil !

– Ce n'est pas cela qui me chagrine…

Arh'En Dal posa une main ferme sur l'avant-bras de Kaylan :

– Sois gentil, mon enfant : écoute-moi jusqu'au bout. Ce que j'ai à te dire n'est pas facile. Il y a… il y a tant de choses que tu ignores encore…

Son ton solennel laissa Kaylan sans voix.

– Je n'étais pas dans mon état normal, ce matin, poursuivit le grand prêtre. Une nervosité inexplicable me nouait les entrailles… Je suis allé à ma fenêtre, et j'ai observé la ville. Le soleil franchissait à peine la crête des montagnes brumeuses, la population dormait toujours, paisible… Soudain, un tintement de cristal a retenti dans la chambre ; l'air vibrait…

Kaylan fronça les sourcils : quelles étaient donc ces élucubrations ? Le grand prêtre ne l'avait pas habitué à cela…

– La… musique provenait de ma carafe de cristal, reprit Arh'En Dal. C'était… comme si un esprit venait en jouer, pour m'éveiller, m'avertir d'un événement majeur. De la fenêtre, j'ai observé les alentours : les toits de Selenæ, les champs, puis les montagnes brumeuses…

« Nous y voilà », songea Kaylan. Il y avait bien longtemps que le grand prêtre n'avait pas fait allusion aux armées des ténèbres. On les disait massées de l'autre côté de la gigantesque barrière granitique, prêtes à fondre sur la population de Selenæ, à ravager l'empire. Il posa la main sur l'épaule de Arh'En Dal :

– Je sais ce que tu vas me dire, mon vieil ami. Mais tu oublies que nous avons terrassé le prince des Ténèbres avec l'aide de Lucius. Tu as toi-même conservé le médaillon dans lequel tournent les âmes des deux souverains ennemis…

– Il s'agit bien de cela ! s'emporta Arh'En Dal. Par la Lune sombre, m'écouteras-tu, à la fin ?

Kaylan en resta bouche bée. Le grand prêtre lui avait parlé comme à un enfant… Leurs regards se croisèrent. Celui de Arh'En Dal était bleu, limpide comme l'eau d'un lac de montagne :

– Alors que je laissais mon esprit divaguer à la lisière des monts, le cristal a tinté à nouveau. Je… je me suis penché au-dehors, et je l'ai vu bouger !

Il se campa devant Kaylan et répéta ses derniers mots, en détachant chaque syllabe :

– Le sol a bougé, Kaylan, comme un corps endormi se tord dans son sommeil, sous l'effet de la fièvre !

« Il délire », pensa Kaylan, au comble de l'inquiétude. Oui, cela ne pouvait être autre chose : le grand prêtre sombrait dans la démence. Le sol ? Bouger ? Qu'allait-il donc imaginer là ? En fait de fièvre, il s'agissait de celle qui ravageait pour l'heure l'esprit de Arh'En Dal !

Le vieil homme fouilla les replis de sa robe, et en extirpa le médaillon de sang. Il le tendit à bout de bras :

– Vois ! Décide toi-même de m'accorder crédit ou de me faire enfermer comme fou, car je lis tes doutes sur ton visage !

Kaylan cilla à plusieurs reprises. Le joyau aux reflets pourpres brûlait d'un éclat inhabituel. Il semblait s'animer au bout de sa chaîne. Les deux petits soleils y décrivaient une sarabande affolée, allumant un feu ardent…

– Je me souviens, balbutia Kaylan d'une voix blanche. Lucius, son sacrifice…

Arh'En Dal soupira :

– Les deux âmes poursuivent le combat éternel du Bien et du Mal… Mais leur affrontement s'est intensifié. Et je sais ce que cela signifie.

Il se tut quelques secondes qui parurent une éternité à Kaylan. Il semblait chercher ses mots. Enfin, il releva la tête et déclara :

– Il se peut que le Dragon soit en train de s'éveiller sous nos pieds.

Kaylan serra les mâchoires : c'en était trop ! Voilà que Arh'En Dal reprenait à son compte cette vieille légende ! Comme tous les habitants de Selenæ, il avait à maintes reprises entendu cette histoire du Dragon dormant sous terre et réchauffant la planète de son souffle de forge. Combien de fois s'était-il endormi en frissonnant, blotti dans ses couvertures, en guettant les signes du réveil du monstre ? Mais aujourd'hui !

Aujourd'hui, il était Empereur-Mage. Il présidait à la destinée de tout un peuple, il n'avait plus le temps de s'amuser avec ces contes pour enfants...

Il secoua la tête et poussa un soupir excédé :

– C'est d'accord, Arh'En Dal, mais j'ai tant de choses à faire...

Le grand prêtre lui saisit le bras, et Kaylan sursauta. Les doigts du vieil homme étaient comme des serres crispées sur une proie.

– Je ne plaisante pas, mon fils. Tu dois ouvrir les yeux et accepter la vérité !

Il y avait dans sa voix des accents qui ne trompaient pas : le grand prêtre avait peur.

Kaylan se figea. Il plissa les paupières et dévisagea Arh'En Dal avec insistance : les joues maigres, envahies d'une barbe naissante, le dos voûté, les mains tavelées. Les années avaient passé, doucement. Le grand prêtre était bien vieux aujourd'hui.

Kaylan eut un pincement au cœur et prit le vieil homme dans ses bras :

– Je te dois tant, mon ami. Continue, je t'en prie…

Des coups violents ébranlèrent la porte.

Sans même attendre qu'on l'autorise à entrer, une jeune servante aux joues rouges apparut dans l'encadrement :

– Mon Seigneur, balbutia-t-elle en esquissant une révérence malhabile, ça y est ! L'heure est venue !

Kaylan la regarda sans oser y croire :

– Oui ?

– L'impératrice, souffla la jeune femme, elle… elle va accoucher.

Kaylan se redressa :

– Nous reprendrons tout ceci plus tard, dit-il au grand prêtre. Viens, suis moi !

Arh'En Dal lui emboîta le pas, et ils partirent tous deux vers les appartements impériaux. Kaylan exultait. Le cœur battant à tout rompre, il se hâtait de rejoindre Sheelba, sans prêter attention aux murmures de Arh'En Dal.

Le grand prêtre adressait des suppliques à la Lune sombre :

– Tant de choses en même temps… Tout s'accélère. Donnez-moi la force de les seconder dans l'épreuve ! Ils vont tant avoir besoin de moi !

Il se tut, et l'image du Titan endormi s'imposa à ses yeux mi-clos. Il vit le monstre recroquevillé dans les profondeurs de la terre, il vit sa formidable carapace, il vit les torrents de lave qui jaillissaient de ses narines.

Arh'En Dal réprima un frisson.

– Parons au plus pressé : d'abord l'enfant. Ensuite…

Il reprit sa respiration, et souffla :

– Fasse la Lune sombre que jamais le Titan ne s'éveille…

2

Kaylan traversait rapidement le labyrinthe des couloirs du palais. Ses pas résonnaient sous les voûtes en échos rythmés. Les enfilades de corridors lui paraissaient interminables aujourd'hui : quand on avait reconstruit la bâtisse, quelques années auparavant, les architectes avaient rivalisé d'ingéniosité dans sa conception, les mages des plus hauts collèges avaient participé à son édification. Kaylan et Sheelba s'étaient réjouis de voir s'élever en quelques mois un château aussi somptueux…

À présent, le jeune empereur mesurait la vanité de cette entreprise. En un tel moment, il aurait voulu n'être qu'un homme comme les autres, abandonner son statut d'Empereur-Mage et pouvoir courir, rejoindre Sheelba au plus vite. Au lieu de cela, conscient des regards que lui lançaient les serviteurs croisés en chemin, il se tenait roide et s'efforçait de ne pas laisser paraître son trouble.

Il atteignit enfin le dernier passage. Là-bas, au bout de la dernière ligne droite, deux gardes impériaux surveillaient les portes de ses appartements. Sheelba l'y attendait, entourée des médecins du palais et de sa fidèle dame de compagnie.

Arh'En Dal, essoufflé, peinait à suivre Kaylan. Le vieil homme s'arrêta soudain, hors d'haleine, et porta une main à son côté. « Je me fais trop vieux, pensa-t-il, il va falloir que je songe à choisir un successeur... »

Un mouvement furtif derrière les lourdes tentures du couloir troubla le cours de ses pensées. Arh'En Dal fronça les sourcils : quelque chose se tenait là !

Il voulut avertir Kaylan, mais une main griffue s'était plaquée sur sa bouche. Incapable de proférer le moindre son, il fut soulevé du sol et entraîné à l'écart.

Kaylan avançait toujours, l'esprit obnubilé par la naissance de son enfant.

Arh'En Dal suffoquait. Les gardes n'avaient rien vu : la haute stature de l'Empereur-Mage avait masqué l'attaque.

Le vieil homme rassembla ses maigres forces et rua comme un possédé. Son agresseur grogna de colère et resserra son étreinte. Une seconde trop tard ; Arh'En Dal parvint à hurler :

– Kaylan ! Attention !

L'Empereur-Mage fit aussitôt volte-face. Interdit, il chercha des yeux le grand prêtre. De part et d'autre du corridor, les tentures se mirent à danser.

– À moi ! hurla-t-il en dégainant son épée.

Les gardes réagirent. L'un d'eux fit un pas en avant en empoignant son arme, tandis que l'autre se tournait vers les portes des appartements impériaux.

Un concert de vociférations s'éleva, et les rideaux pourpres se déchirèrent, libérant le passage à une demi-douzaine de créatures ailées.

Kaylan écarquilla les yeux : c'étaient des hybrides, mi-hommes, mi-lézards, dotés d'ailes membraneuses de chauves-souris.

Avec des cris perçants, ils se jetèrent vers les portes de la salle.

Kaylan hurla de rage. Surpris par l'attaque éclair des monstres, il s'était laissé dépasser. Les bêtes l'ignoraient, elles le contournaient dans un tourbillon de cuir et de fourrure pour plonger vers les appartements. Leurs ombres fantasmagoriques semblaient repousser la lumière des torches. Kaylan fut un instant noyé par les ténèbres, dans le bruissement des ailes et les cris inhumains.

– Sheelba ! gémit-il. Non, ce n'est pas possible !

Il détendit le bras avec force et frappa au hasard, atteignant au poitrail une des créatures qui passaient au-dessus de lui. Le monstre glapit de douleur et l'attira dans sa chute. Kaylan se débattit et se débarrassa de son adversaire en redoublant d'ardeur. Il se releva d'un bond et partit à la poursuite des bêtes.

Au bout du couloir, le premier garde s'escrimait à repousser les assaillants, tandis que l'autre rabattait l'épaisse barre d'acier qui condamnait l'entrée des appartements.

Soudain, le valeureux combattant poussa une plainte douloureuse. Il avait lâché son arme pour porter les mains à son visage ensanglanté. Il mit un genou en terre, et fut aussitôt recouvert par deux monstres. Un concert de grognements avides s'éleva.

Le second soldat dégaina à son tour et se jeta dans la bataille. Deux bêtes l'encerclèrent. Elles frappaient de leurs griffes et cherchaient à mordre, ouvrant des gueules énormes où luisaient plusieurs rangées de crocs.

Déjà, un hybride atteignait la porte et s'évertuait à libérer le passage.

Avec un cri de guerre, Kaylan les rejoignit d'un bond en brandissant son glaive. Il frappa une bête au côté, puis une autre à la gorge. Les deux monstres s'effondrèrent en gargouillant.

L'Empereur-Mage arrivait trop tard : la dépouille inerte du garde gisait dans une mare de sang. Il reporta son attention sur le second soldat, qui ne parvenait plus à repousser les attaques. Une créature lui happa le bras, et le malheureux ouvrit la bouche pour crier. Une autre lui plongea ses griffes dans l'abdomen, le contraignant au silence.

La troisième avait envoyé voler le barreau, qui retomba sur le dallage du couloir.

Kaylan attaqua à nouveau. Son épée transperça

une des bêtes. Il raffermit sa prise, souleva le monstre du sol et le projeta derrière lui.

À cet instant, un coup violent atteignit le jeune homme par-derrière, l'envoyant rouler au sol. Des étoiles noires explosèrent devant ses yeux, et Kaylan se crut aveugle une poignée de secondes. Il pivota sur lui-même, plaqua son dos au dallage et replia les jambes devant son torse. Quand il sentit le souffle de la créature, il les détendit violemment. Ses pieds heurtèrent le monstre de plein fouet, s'écrasant sur sa gueule. Il y eut un craquement sinistre, et l'hybride glissa au sol avec un hoquet de surprise, nuque brisée.

Kaylan, le souffle court, se redressa avec peine. Ses muscles endoloris semblaient ne plus pouvoir réagir. Devant lui, un dernier assaillant écartait les battants et pénétrait dans l'antichambre.

Il leva la gueule, hésitant devant trois nouvelles portes fermées. Il paraissait humer l'air pour localiser sa proie, comme l'aurait fait un chien de chasse. Son hésitation lui fut fatale : Kaylan s'empara de son épée et le rattrapa. Il sauta sur le dos du monstre et lui glissa un bras sous la gorge, l'épée haute.

– Ça suffit, cria-t-il d'une voix rauque. Tu as perdu. Dis-moi qui t'envoie, et tu auras la vie sauve…

L'Empereur-Mage n'acheva pas sa phrase. Son adversaire poussa un cri bestial et se cabra pour tenter de le désarçonner. Kaylan tint bon et lui assena un coup puissant du pommeau de son épée. Assommée, la bête tomba, inerte.

Kaylan balaya les alentours du regard : la mort et la désolation régnaient dans le corridor. Il secoua la tête : cela ne pouvait être vrai ! Il se ressaisit et plissa les paupières, tentant de percer l'obscurité du couloir. Le battement des ailes de cuir avait soufflé les torches. À travers le rideau des ténèbres, il finit par localiser Arh'En Dal.

Le grand prêtre était livide. Il s'appuyait au mur, une main crispée sur la poitrine. Kaylan s'avança pour lui porter secours, mais Arh'En Dal tendit un bras tremblant :

– Attention ! Derrière toi !

L'Empereur-Mage fit volte-face et fouetta l'air de son épée. Il foudroya le monstre qui s'était relevé dans son dos.

Avec dégoût, il s'assura que tous les autres étaient morts, puis s'approcha du grand prêtre. Il le soutint :

– Ça ira ?

Arh'En Dal eut un pauvre sourire.

– Oui, murmura-t-il. Je devrais pouvoir tenir encore un peu.

Kaylan hocha la tête :

– Je l'espère de tout cœur, mon vieil ami. Sheelba et moi avons encore tant besoin de toi... Tu ne peux pas nous abandonner maintenant.

Ils pénétrèrent tous deux dans l'antichambre des appartements impériaux. Kaylan installa Arh'En Dal dans un large fauteuil. Le vieillard était d'une pâleur cadavérique.

– Ne bouge pas, lui dit Kaylan. Je ne serai pas long.

– J'espère que Sheelba n'a pas entendu la bataille, s'inquiéta le grand prêtre.

Kaylan le rassura d'un geste :

– Il y a peu de chances que l'écho lui en soit parvenu : nos murs sont épais, et les portes doublées de cuir et de tissus... N'aie crainte, l'impératrice est entre de bonnes mains.

Il se tut, réalisant qu'il cherchait à se rassurer également. Il prit sur un sofa une fine couverture et en recouvrit son compagnon avant de l'abandonner.

Puis il retraversa le couloir au pas de charge. Parvenu en haut d'escaliers majestueux, il appela les gardes en faction et leur lança un ordre bref.

Il revint enfin vers ses appartements, une imposante escorte à ses côtés.

Quelques hommes se placèrent devant l'entrée, d'autres recueillirent les dépouilles de leurs deux camarades et emportèrent les cadavres des monstres.

Ils eurent tôt fait de débarrasser le couloir des derniers témoignages de l'affrontement.

Arh'En Dal soupira :

– Au moins, l'empereur est secondé par de vaillants guerriers…

– Je sais ce que tu vas dire, l'interrompit Kaylan. Et tu connais la réponse : il n'est pas question que tu laisses ta place. Tu n'es pas assez vieux pour prendre ta retraite. Nous en avons déjà parlé : il n'y a qu'un seul grand prêtre de la Lune sombre, et c'est toi, Arh'En Dal.

Il lui posa une main sur l'épaule.

– J'ai besoin de toi, ajouta-t-il dans un souffle, ne me laisse pas, pas maintenant.

– Je sais tes inquiétudes, répondit Arh'En Dal, mais l'heure est venue pour toi. Tu vas être père…

Kaylan se mordilla nerveusement la lèvre et détourna la tête. À cet instant, l'Empereur-Mage était redevenu un adolescent pétri de doute.

Attendri, le grand prêtre se leva et s'approcha de lui :

– Peut-être puis-je continuer encore un peu…

La lueur qui s'alluma dans les prunelles de Kaylan fut pour lui la plus belle des récompenses.

Arh'En Dal avait recouvré ses forces. Il fit inspecter les lieux, pour tenter de trouver par quel moyen les assaillants s'étaient glissés dans le palais. En vain : les hybrides semblaient avoir jailli de nulle part, dans le seul but de pénétrer dans les appartements royaux.

Le grand prêtre menait les investigations :

– Qu'on aille me quérir les prêtres, et deux mages personnels de l'empereur.

Quand les hommes furent réunis, Arh'En Dal leur expliqua brièvement la situation. Chacun se vit assigner une tâche de recherche et d'identification et s'y attela sans plus tarder.

Kaylan, le visage fermé, suivait le déroulement des opérations. Arh'En Dal le rejoignit finalement :

– Ils savent ce qu'ils ont à faire. Ils y parviendront, ce sont les meilleurs éléments du palais.

Il prit le bras de Kaylan et l'entraîna vers les appartements :

– Viens à présent. Nous ne devons pas manquer la naissance !

Ils rejoignirent Sheelba dans l'une des chambres des appartements impériaux. La jeune femme était allongée sur un grand lit aux draps blancs. Elle était pâle, et son front était barré d'une ride soucieuse.

– Que s'est-il passé ? demanda-t-elle. Tous ces bruits... On s'est battu ?

Autour d'elle, des médecins s'agitaient, deux jeunes femmes préparaient des linges et faisaient chauffer de l'eau. Kaylan se fraya un passage à travers eux et vint s'agenouiller auprès du lit. Il caressa doucement le visage de sa femme :

– Ce n'est rien, mon amour. Le palais est agité : la naissance occupe tous les esprits, et l'effervescence règne…

Elle ferma les yeux et remua lentement la tête :

– Ne me mens pas. Les cris qui me sont parvenus ne traduisaient pas la joie, mais la douleur, la rage. Il s'est passé quelque chose.

Kaylan se tourna vers Arh'En Dal et l'interrogea du regard. Le vieil homme lui intima le silence d'un discret mouvement de tête.

Kaylan se pencha vers Sheelba :

– Tu as raison. Il est arrivé quelque chose, mais tout est fini. Il n'y a plus rien à craindre, tu es hors de danger.

– Dis-moi, poursuivit-elle avec obstination, je veux tout savoir !

Kaylan soupira, résigné :

– Soit. Nous avons été attaqués par une bande de créatures…

Il se tut, réalisant le trouble de Sheelba. La jeune femme était livide, et sa main se crispait sur le bras de son époux. Il s'éclaircit la voix, et reprit sur le ton de la confidence :

– Nous contrôlons la situation, Sheelba. Tu ne risques plus rien, et le bébé non plus. Il ne te reste qu'à m'offrir un bel enfant...

Il se pencha sur elle et déposa un délicat baiser sur ses lèvres :

– Mais je sais pouvoir te faire confiance...

Elle lui sourit, s'efforçant de retrouver son calme. Sa respiration ralentit, et elle put parler :

– Cela ne devrait plus tarder maintenant.

Un médecin s'approcha de Kaylan et lui effleura le coude :

– Majesté, nous avons préparé des boissons dans l'antichambre...

Kaylan le considéra, interdit. Il était si troublé qu'il n'avait pas compris un traître mot.

Arh'En Dal l'entraîna vers l'extérieur :

– Viens avec moi. C'est à Sheelba qu'il appartient d'agir à présent.

Kaylan se tourna vers la jeune femme. Elle lui sourit :

– Arh'En Dal a raison, comme toujours. Attends-moi à côté, ce ne sera plus long.

Kaylan s'exécuta à contrecœur. On referma la porte de la chambre, et il se retrouva seul avec le grand prêtre. Ce dernier prit deux coupes de cristal sur une table basse et les remplit d'un vin ambré. Il en offrit une à l'empereur :

– Buvons, Kaylan ! À la santé de l'enfant qui va naître, et à celle de sa jolie maman !

3

Arh'En Dal s'évertua à occuper l'esprit de Kaylan pendant quelque temps. Le vieil homme parlait, enchaînant les idées sans temps mort, et Kaylan l'écoutait d'une oreille distraite, sans parvenir à saisir le sens de son discours.

Les questions s'entrechoquaient dans l'esprit tourmenté du futur père : l'accouchement se passait-il sans problème ? Ne ferait-il pas mieux de retourner auprès de Sheelba pour la soutenir ? En quoi pouvait-il bien lui venir en aide ? Valait-il mieux rester ici, à écouter Arh'En Dal ? Quel était donc cet alcool dans son verre ? Quelles étaient ces créatures qui s'étaient engouffrées dans le palais ? Qui les avait mandatées ? Dans quel but ? Se pouvait-il que… que le bébé soit visé ?

Il blêmit en pensant à cette dernière éventualité, et Arh'En Dal interrompit aussitôt son monologue :

– Quoi ? Que se passe-t-il ?

– Rien, commença Kaylan sur un ton apaisant, je me demandais simplement si…

– Si quoi ? s'impatienta le grand prêtre.

– Si les monstres n'avaient pas été envoyés pour s'en prendre à l'enfant.

Arh'En Dal fit la moue en mesurant la pertinence de la question.

– Tu as peut-être raison, murmura-t-il, on a très bien pu décider de ne pas s'attaquer aux Empereurs-Mages, trop puissants, mais à leur descendance… L'enfant est pour ses parents le plus précieux des trésors : en s'en emparant, on peut faire pression sur vous deux !

– Pas un mot à Sheelba ! lança Kaylan. Je veux savoir le fin mot de cette histoire avant de lui en parler. Pour le moment, consacrons-nous au bébé.

Arh'En Dal hocha la tête :

– C'est la plus sage décision.

Ils se figèrent soudain : derrière la porte, un cri venait de retentir. C'était un filet de voix, un appel de nourrisson.

Kaylan retint son souffle. Il n'osait se réjouir, ne voulait pas s'inquiéter. Il était comme paralysé, incapable de réagir…

Arh'En Dal s'approcha prestement et lui glissa à l'oreille :

– Souviens-toi : surtout pas un mot concernant le Dragon !

La porte s'ouvrit toute grande, et une servante se présenta, émue :

– Majesté, c'est… c'est un garçon !

Kaylan crut défaillir de bonheur, et il s'appuya sur l'épaule du grand prêtre. N'y tenant plus, il entra dans la pièce et rejoignit Sheelba. Il l'enlaça tendrement. Elle paraissait sereine et souriait aux anges.

– Voilà, souffla-t-elle. Tu as un fils à présent.

On déposa le bébé, lavé et emmailloté, sur le ventre de sa mère.

Kaylan tendit un doigt, et effleura une toute petite main de l'enfant, qui frémit à son contact.

– Il est… si fragile, balbutia-t-il.

Sheelba allait parler, mais elle fut interrompue par un phénomène étrange.

L'air de la pièce sembla prendre consistance et s'agiter d'un remous surnaturel. La température chuta brutalement, et la lumière des torches fut soufflée, arrachant des cris de frayeur aux personnes présentes. Sheelba hoqueta de stupeur et serra le bébé contre son cœur.

Kaylan se releva d'un bond, l'épée à la main.

– Quelle est encore cette diablerie ? s'emporta-t-il.

Il bouillait de colère et se sentait prêt à défier la terre entière pour défendre sa femme et son fils.

Un silence lourd pesait sur la chambre ; soudain, une fumée âcre apparut en son centre. C'était un nuage nauséabond, une brume naissant du vide. Elle s'épaissit, monta en colonne, puis se mit à onduler. On eût dit une danseuse orientale aux déhanchements lascifs…

Arh'En Dal écarquilla les yeux et se signa avant de psalmodier des chants de protection.

– Que la Lune sombre nous protège, siffla-t-il.

Au cœur de la brume une forme ectoplasmique prenait consistance.

Sheelba porta une main tremblante à ses lèvres :

– Shaar-Lun ! s'écria-t-elle. C'est Shaar-Lun !

Incrédule, Kaylan s'était approché de l'apparition. À travers le rideau de brume, il distinguait une forme humanoïde aux bras croisés sur le torse. Dans son dos, des ailes repliées lui donnaient des allures de chauve-souris géante… ou de démon échappé des enfers.

Kaylan tendit la main, mais Arh'En Dal fut plus prompt. Il lui saisit le bras :

– Surtout pas ! Attends et écoute !

L'Empereur-Mage secoua la tête. Ses yeux allaient du grand prêtre à la forme qui peu à peu prenait vie. Il ne savait quelle attitude adopter. Fallait-il attendre et laisser cette abomination s'installer dans ses appartements ou bien, au contraire, frapper le premier ?

La silhouette ténébreuse parut s'ébrouer au milieu de son cocon vaporeux. Elle s'inclina avec lenteur dans une parodie de révérence.

Kaylan connaissait cette gestuelle. Il s'adressa à l'apparition :

– Shaar-Lun ? C'est bien toi ?

L'ombre resta silencieuse un moment, paraissant ne pas comprendre les mots de Kaylan. Puis elle sourit :

– Je suis venu te prévenir, Empereur-Mage de Selenæ, qu'un grand malheur va s'abattre sur ton couple.

La voix leur parvenait horriblement déformée. Elle était presque indistincte et grinçait effroyablement. On n'en percevait qu'un écho lointain, jailli des profondeurs de la terre... Elle paraissait provenir d'une gorge inhumaine.

Kaylan s'approcha encore et détailla le visage de son interlocuteur. Il avait peine à reconnaître son ancien compagnon dans ce masque démoniaque aux traits creusés, aux cernes profonds et noirs, soulignant des yeux de braise. Des cheveux laiteux encadraient un visage émacié, dont les lèvres se retroussaient en un rictus hideux.

Kaylan déglutit avec difficulté.

– Shaar-Lun, reprit-il d'une voix blanche, c'est toi ? Réponds-moi : tu as besoin de moi ? Où es-tu ? Shaar-Lun ?

L'Empereur-Mage cachait mal son angoisse.

L'apparition ignora ses questions et se contenta de passer une langue gourmande sur ses lèvres, découvrant des dents acérées.

– Le Titan endormi va se réveiller, reprit-elle. Bientôt, il jaillira de son repaire et Selenæ volera en éclats. Il n'en restera que cendres et ruines. Alors commencera le règne des Ténèbres, et les hommes devront se soumettre à leur pouvoir !

Kaylan secoua la tête, ahuri :

– Ce n'est pas possible, c'est un cauchemar ! Je… Shaar-Lun, de grâce, réponds-moi : que t'est-il arrivé, mon ami, mon frère ?

La créature sembla soudain l'entendre et se tourna vers lui. Elle grimaça un sourire méprisant :

– Le sang d'un empereur va couler, car le réveil du Titan ou son retour au sommeil ne se feront qu'à ce prix. L'un de vous doit périr…

– Non ! s'écria Sheelba. Il n'en est pas question ! Personne ne va mourir ! Quelle que soit la menace qui pèse sur Selenæ, nous trouverons la solution, et nous repousserons le danger ! C'est notre rôle : nous sommes les Empereurs-Mages, les gardiens de Selenæ !

L'ombre pivota et dévisagea la jeune femme. Elle secoua la tête, singeant l'énervement de Sheelba, et reprit d'une voix sifflante :

– L'impératrice est belle quand elle est en colère… Hélas, il en faudra plus pour vaincre le Titan endormi. Vous êtes prévenus à présent ! C'est votre plus grand combat qui commence.

Le monstre se tut. Il étendit ses ailes et commença à se fondre dans la brume. Il perdait consistance, semblait se dissoudre peu à peu. Sa voix résonna une dernière fois dans la pièce :

– Souvenez-vous : seul le sang d'un empereur pourra apaiser les démons qui dorment sous la terre !

N'écoutant que leur courage, des gardes s'élancèrent, l'épée levée. Ils plongèrent au milieu de la tourmente dans l'espoir de saisir Shaar-Lun. Mais l'image du vagabond explosa, se répandant en myriades de dards acérés, qui les transpercèrent. Avec des hurlements de douleur, les soldats tombèrent sans connaissance. Kaylan s'élança à leur secours, mais le sol s'ouvrit sous la colonne de fumerolles, béant comme une gueule avide qui absorbait tout.

Dans un maëlstrom de fureur, les malheureux furent avalés, et la gueule monstrueuse s'effaça aussi soudainement qu'elle était apparue.

Hébété, Kaylan se frotta les yeux : était-il victime d'une hallucination ? Lui avait-on jeté un sort de suggestion ?

Un gémissement effrayé le ramena à la réalité : une des servantes pointait le doigt vers le sol. Kaylan suivit son geste des yeux et découvrit avec horreur qu'à l'endroit où avait sévi le tourbillon de fumée s'étendait maintenant un pentacle diabolique. Le dessin, en traînées sombres, achevait de consumer le tapis et le parquet.

Il frissonna et voulut en effacer les contours d'un coup de talon rageur.

–Non ! cria Arh'En Dal. Surtout, n'y touche pas !

Kaylan se figea, le pied levé au-dessus du diagramme enflammé. Il recula précipitamment.

– Que veux-tu dire ?

Sans un mot, Arh'En Dal avait pris un linge sur la table médicale. Il approcha l'étoffe du pentacle, et la lâcha. Le tissu n'eut pas le temps d'entrer en contact avec le sol. Il s'embrasa telle une torche, et fut aussitôt englouti.

Kaylan sentit un frisson glacé lui parcourir l'échine.

– Cette sorcellerie est donc toujours efficace ? coassa-t-il.

Arh'En Dal hocha la tête en grimaçant :

– Oui. Et il faudra plus que quelques coups de talon pour la détruire... Emmène Sheelba et l'enfant ailleurs. Personne ne doit plus séjourner dans la pièce tant que ce portail n'est pas refermé. Fais placer des gardes à toutes ses issues.

Arh'En Dal agissait avec fermeté. Son visage n'exprimait plus aucun sentiment. À cet instant, le grand prêtre de la Lune sombre mesurait exactement l'urgence et la gravité de la situation.

Il se tourna vers les médecins, les salua et ordonna qu'on réunisse les mages du palais.

– Il faut unir nos forces ! grogna-t-il. Allons, hâtez-vous.

Arh'En Dal assigna à chacun sa mission avant de rejoindre le couple impérial dans ses appartements. On avait installé Sheelba et son fils dans une chambre blanche aux murs tendus de soie. La pièce était vaste et lumineuse. L'enfant dormait, innocent, le souffle régulier. Sa mère se reposait sur un grand lit, confortablement blottie dans d'épaisses couvertures, le dos appuyé sur des coussins. Kaylan, assis à côté d'elle, s'efforçait de la rassurer.

Ils levèrent tous deux la tête vers le grand prêtre, incapables de parler. Un silence lourd tomba sur la chambre, que personne n'avait le courage de rompre. Arh'En Dal finit par toussoter, gêné.

– Bien, commença-t-il. Je crois qu'il est grand temps pour nous de réfléchir à la situation.

Sheelba prit doucement la main de Kaylan :

– Peut-être allez-vous enfin me dire ce qui s'est réellement passé tout à l'heure devant les portes des appartements ? J'ai le droit de savoir…

– C'est vrai, admit Kaylan, résigné.

Il lui décrivit en quelques phrases les événements, n'omettant aucun détail. Arh'En Dal intervint à son tour, livrant ses pressentiments quant à un possible éveil du Titan endormi.

Sheelba écoutait, attentive. Parfois, elle levait un sourcil, intriguée, mais se gardait bien de les interrompre.

– Le Dragon…, murmura-t-elle quand il eurent fini. Ce n'est donc pas une légende…

– Hélas ! non, mes enfants, soupira Arh'En Dal. Je m'étais promis de vous en parler, l'heure venue.

Ce secret est gardé par les grands prêtres depuis toujours. C'est un fardeau que chacun de nous doit porter seul.

– Pourquoi ne pas prévenir la population ? hasarda Kaylan.

Arh'En Dal sourit avec tristesse :

– Imagines-tu la panique dans les rues à la seule évocation du Titan enfoui sous la terre ? Ce serait la terreur, la folie… Personne ne voudrait plus vivre ici ! Ce serait l'exode, la fin de Selenæ.

– Et pourquoi pas ? lança Sheelba. Si la survie de la population est à ce prix, je suis prête à organiser les convois, à entraîner la foule vers d'autres contrées. Nous pourrons trouver à nous installer ailleurs. Nous rebâtirons une autre ville, nous…

Arh'En Dal leva la main pour obtenir le silence.

– Vous ne comprenez pas, déclara-t-il. Il n'y a pas d'ailleurs possible. Selenæ naquit ici, dans ce cirque montagneux, parce que c'était l'endroit le plus fabuleux de la terre. La température y était plus clémente, le sol plus riche… À l'abri des montagnes brumeuses, la vie était enfin possible. De l'autre côté… c'est le chaos qui règne. Les Ténèbres y ont élu domicile, les récoltes sont maigres, les éléments se déchaînent. Le froid tue sans pitié…

Kaylan se mordillait les lèvres, songeur :

– Tu veux dire que partout ailleurs règne la désolation ?

– Oui, répondit Arh'En Dal. Ce pays est fertile et accueillant justement parce qu'il est situé au-dessus du Dragon.

Sheelba et Kaylan se regardèrent, abasourdis. Avaient-ils bien entendu ?

Arh'En Dal avisa leurs mines suspicieuses et reprit d'une voix monocorde :

– Je vais essayer de vous en apprendre plus. Il y a bien longtemps, quand les pères des pères de vos pères n'étaient pas encore nés, le Titan surgit du ciel. Nul n'a jamais su d'où il venait. Il a jailli par une nuit sans nuages, et a occulté la Lune sombre. Il a fait régner la terreur et la mort pendant plusieurs saisons, et puis, sans que rien ne le laisse prévoir, il s'est abattu sur la terre. Sa formidable masse a heurté le sol, causant un tremblement de terre gigantesque, qui a ravagé une partie de notre monde. À la suite de ce choc, la terre s'est repliée sur elle-même, comme pour panser ses blessures. Les montagnes brumeuses sont les lèvres qui entourent la plaie. Elles cernent l'endroit où le Titan s'est enfoncé dans les profondeurs de la planète…

Kaylan et Sheelba, serrés l'un contre l'autre, les yeux écarquillés, écoutaient Arh'En Dal. Le vieil homme hésitait parfois, cherchait ses mots. Il faisait des efforts pour leur présenter les choses simplement, sans effets grandiloquents. Il éprouvait visiblement de la peine à partager son terrible secret.

– Quand je vous aurai tout dit, avoua-t-il, votre vie ne sera plus la même… Mais je ne puis faire autrement. Il n'est plus temps de se voiler la face.

Il soupira et reprit son monologue :

– Des hommes courageux ont entrepris de visiter le cirque rocheux, après des mois d'observation à distance. Ils ont découvert ici un véritable paradis. L'herbe était plus verte, la nature plus riche que partout ailleurs. Ils se sont regroupés, et ils sont venus s'installer ici avec leurs familles. Ils échappaient au chaos et commençaient une nouvelle existence. Selenæ était fondée. L'un des hommes qui étaient à son origine, Éliphas Reuel, un jeune prêtre de la Lune sombre, a décidé de partir dans les profondeurs, afin de comprendre le phénomène. Il a vécu d'horribles aventures et il est revenu transfiguré… Mais ceci est une autre histoire.

Arh'En Dal déglutit avec peine. Il semblait revivre un passé douloureux, et ni Sheelba ni Kaylan n'eut le cœur de l'interroger plus en détail.

– Éliphas Reuel avait compris que le Dragon était endormi, qu'il se nourrissait de la chaleur de la terre, et qu'il en restituait une part vers la surface. Ainsi, il dévorait peu à peu la planète, mais permettait à ce pays de vivre mieux… Ce que Éliphas s'est bien gardé de dire à ses compagnons, c'est qu'il s'était trouvé au contact du Dragon, et qu'il avait manqué d'y perdre son âme. Grâces en soient rendues à la Lune sombre, il était parvenu à remonter à la surface. Bien plus tard, il a découvert qu'il avait un nouveau pouvoir : il vieillissait lentement, très lentement. Il était devenu quasi immortel… Mieux : il pouvait faire don de ce pouvoir à l'un de ses disciples. Était-ce le contact du Dragon ? Un miracle de la Lune sombre ? Nul ne l'a jamais su. Depuis ce jour, les grands prêtres se transmettent ce cadeau empoisonné. Ils sont, chacun à son tour, immortels et condamnés à garder le secret. Jusqu'au jour où le Dragon déciderait de s'éveiller.

– Qu'est-ce que cela signifierait pour nous ? demanda Sheelba.

– La destruction totale de notre ville et de notre pays, répondit Arh'En Dal. Le Titan, en jaillissant du sol, provoquerait un tremblement de terre dont personne ne peut prévoir la puissance.

– Et n'y a-t-il aucun moyen de l'empêcher de s'éveiller ? avança Kaylan. Ne peut-on pas le tuer ?

Arh'En Dal secoua la tête, désolé :

– Tu ne comprends pas. Le Dragon n'est pas un simple monstre. C'est un demi-dieu… Un être qu'aucun homme ne peut défier. Il est insensible à notre magie, intouchable. Aucune arme forgée sur cette terre ne pourrait entamer sa carapace.

Kaylan se renfrogna. Il refusait d'admettre la situation :

– Il doit bien exister un moyen. Il faut le trouver !

Le silence retomba sur la pièce, tandis qu'ils se plongeaient tous trois dans des abîmes de réflexion. Sheelba fut la première à relever la tête :

– Et Shaar-Lun ? Quel est son rôle dans cette folie ?

4

À ces mots, Kaylan avait sursauté. Il réfléchit un moment, le menton sur la poitrine. Quand il releva la tête, ses yeux brillaient de colère.

– Il ne peut y avoir aucun doute sur ses motivations ! s'écria-t-il. Notre « ami » a cédé à sa soif de puissance ! Il aura voulu étendre son royaume vers les profondeurs, et se sera converti aux forces des Ténèbres !

– Pourquoi dis-tu cela ? chuchota Sheelba en lui prenant la main. Nous ne sommes pas certains que c'était Shaar-Lun…

– Je l'ai vu ! s'emporta Kaylan. C'était bien lui. Il était… démoniaque, ses traits étaient déformés, mais c'était bien Shaar-Lun que j'avais en face de moi !

Arh'En Dal prit la parole :

– Sheelba a raison. Tu te laisses aveugler par la colère et par ton ressentiment à son égard. Personne ne peut affirmer que Shaar-Lun était présent dans la pièce. Il pouvait s'agir d'une image pervertie ou d'une créature ayant pris son apparence pour semer le trouble…

– Non ! aboya Kaylan, qui n'en démordait pas. Il a toutes les raisons de se manifester de la sorte !

– Ah oui ? feignit de s'étonner Arh'En Dal. Eh bien, soit : dis-moi quelles sont ces raisons. Mais fais en sorte de rester impartial : réfléchis en souverain, et non en compagnon trahi ou abandonné !

– Très bien, grinça Kaylan. Je vais vous énumérer les motivations de « l'Empereur des royaumes souterrains », comme il s'est autoproclamé ! Tout d'abord, on peut supposer qu'il veut reprendre possession du trône qu'il refusa naguère !

– Sa demande en ce sens serait légitime, avança timidement Sheelba.

– Sûrement pas ! coupa Kaylan. Il a eu l'opportunité de régner avec nous, et il l'a refusée. On ne revient pas sur une parole donnée !

– Kaylan a raison sur ce point, convint Arh'En Dal. Poursuis ton exposé, mon enfant.

– Il peut également vouloir étendre son domaine, reprit Kaylan. Pourquoi n'a-t-on plus jamais entendu parler de lui ? Pourquoi n'a-t-il jamais cherché à nous contacter ? Voilà des années qu'il a disparu sous terre, et il réapparaît sous forme éthérée, un masque de démon plaqué sur le visage…

Arh'En Dal l'interrompit par un geste d'agacement :

– Peut-être a-t-il dû gérer de graves problèmes… On ne se rend pas maître du royaume-sous-la-terre en claquant des doigts.

– Bien sûr, ricana Kaylan, et à présent qu'il y est parvenu, il désire plus que tout repousser les frontières de son territoire ! Il ne peut le faire qu'en annexant Selenæ. De plus…

Kaylan se tut un instant, conscient de la gravité de ses propos :

– Il est peut-être parti par dépit amoureux.

– Kaylan ! s'écria Sheelba. Tu n'y songes pas !

Le jeune homme la dévisagea, un voile de tristesse dans les prunelles.

– Si, hélas. Il t'aimait, lui aussi. Tu ne peux le nier ! Et… s'il avait décidé de venir se venger ? De me provoquer ? De te reconquérir ?

Une chape de plomb s'était abattue sur l'Empereur-Mage. Il se tut, incapable de poursuivre.

Arh'En Dal se leva doucement et posa une main sur l'épaule de Kaylan :

– Allons, allons ! Ne nous emportons pas. Nous n'en sommes qu'à formuler des hypothèses. Nous n'avons aucune certitude. S'il s'agit bien de Shaar-Lun, une dernière chose reste à comprendre : a-t-il voulu nous menacer ou, au contraire, s'est-il matérialisé pour nous prévenir d'un danger ?

Sheelba était prostrée, en proie à la plus intense réflexion. Elle se ressaisit :

– Pourquoi serait-il devenu ainsi ? Comment expliquer cette mutation abominable ? A-t-il été corrompu par les forces du Mal ?

Arh'En Dal hocha la tête :

– Je dois encore vous apprendre bien des choses concernant le Dragon. Le Titan endormi est un être fabuleux, qui exerce une influence maligne sur ceux qui s'approchent de lui… Ce n'est pas sa volonté :

nous ne sommes que des créatures insignifiantes pour lui. Il corrompt sans le vouloir les malheureux qui cherchent à établir le contact. Il aura suffi à Shaar-Lun de trop s'aventurer dans les profondeurs de la terre pour subir des mutations sans même en avoir conscience. Quand on séjourne trop longtemps dans l'ombre du Dragon, on n'en sort pas indemne.

Sheelba buvait les paroles du grand prêtre :

– Je ne peux pas croire que Shaar-Lun ait choisi de se tourner vers les forces du Mal !

– Tu oublies que les mutations s'accompagnent de fabuleux pouvoirs, grogna Kaylan.

Arh'En Dal acquiesça et reprit d'une voix sourde :

– C'est malheureusement exact. Éliphas Reuel, quand il avait resurgi des souterrains, avait obtenu l'immortalité et le pouvoir de la transmettre… Mais plus jamais il ne s'est montré à visage découvert…

– Tu… tu veux dire…, balbutia Sheelba.

– Oui. Son corps avait changé. Il était à l'image de celui qui nous est apparu aujourd'hui – et que je ne peux me résoudre à appeler Shaar-Lun.

– Je le ferai pour toi ! s'exclama Kaylan. Et si Shaar-Lun n'est qu'un monstre, prêt à massacrer toute une ville pour assouvir ses désirs de puissance en éveillant le Dragon endormi, je le trouverai, et je l'en empêcherai, même si je dois le tuer de mes mains !

– Dans l'état de nos connaissances, cela est quasiment impossible, mon enfant, dit Arh'En Dal. Personne ne sait rien de cet empire des Ténèbres dans lequel s'est retiré Shaar-Lun. Je vais faire des recherches, mobiliser mes meilleurs éléments. Les sorciers et les prêtres du palais devraient pouvoir le localiser, ou tout du moins évaluer l'étendue de son royaume…

Il se leva et les salua avant de quitter la chambre :

– D'ici là, prenez soin de vous et de l'enfant.

Alors qu'il passait la porte des appartements, la voix de Sheelba retentit dans son dos :

– Arh'En Dal !

– Oui ?

– Pourquoi n'avoir pas fait ces recherches avant ?

Arh'En Dal fit une moue désolée :

– J'avais confiance en l'empereur vagabond…

Kaylan et Sheelba passèrent le reste de la journée enfermés dans leur chambre. La jeune femme, épuisée moralement et physiquement, sombrait par moments dans un sommeil troublé. Elle était assaillie de cauchemars, dont elle émergeait couverte de sueur, appelant son époux à l'aide. Kaylan lui prodiguait des soins attentionnés, la rassurant d'une voix douce, épongeant son front et lui offrant à boire. Souvent, l'enfant appelait. Sheelba le prenait alors contre son sein et lui donnait la tétée.

– C'est… c'est comme s'il comprenait la situation, commenta Kaylan. Il paraît aussi tourmenté que nous.

Quand vint le soir, Arh'En Dal reparut dans les appartements. Son teint cireux ne laissait rien présager de bon.

Kaylan se leva pour accueillir le grand prêtre. Il dut le soutenir, et l'aider à s'asseoir dans un fauteuil.

– C'est abominable, dit Arh'En Dal dans un souffle. Les hommes à qui j'avais confié les recherches, ils… On les a retrouvés plongés dans un état d'hébétude, incapables de parler. Ils sont actuellement aussi fragiles que des nourrissons. Certains sont morts, dans des conditions atroces…

À ces mots, Sheelba prit doucement son bébé et le serra contre elle. Kaylan lui passa un bras protecteur autour des épaules.

– Morts ? répéta-t-il sans parvenir à y croire.

– Oui, reprit Arh'En Dal. Ils ont été sacrifiés au cœur du pentacle tracé sur le sol de la chambre… Ce portail s'ouvre toujours sur les Ténèbres. On les a tués, et avec leur sang on a écrit : Qui invoque le Mal se soumet ou disparaît !

Sheelba étouffa un sanglot.

– Ce n'est pas possible, gémit-elle. Nous ne pouvons rester ici. Je ne peux laisser mon enfant dans cet endroit. Il… nous ne sommes pas à l'abri. Nous devons l'éloigner, le soustraire à cette horreur !

Cédant à une bouffée de terreur, elle roulait des yeux affolés. Kaylan posa un baiser sur son front et lui caressa les joues :

– Calme-toi. Tu vas partir et protéger notre fils. Je vais tout faire pour trouver une solution. Ne crains rien. Arh'En Dal va s'occuper de vous deux…

Il appela la garde et ordonna qu'on escorte l'impératrice et son fils dans une autre aile du palais.

Resté seul avec Arh'En Dal, il dévisagea le grand prêtre.

– Que comptes-tu faire ? demanda ce dernier.

– Il n'y a qu'une solution, soupira Kaylan. Si nous voulons en avoir le cœur net, il me faut descendre dans le labyrinthe. Je vais retourner dans la Gueule du Dragon...

5

Kaylan ne dormit pas cette nuit-là. Il se prépara minutieusement à affronter les dangers inconnus des souterrains.

Certes, l'ancienne Gueule du Dragon avait été débarrassée des créatures des ténèbres qui infestaient autrefois ses couloirs, mais qui pouvait dire aujourd'hui ce qui se tapissait dans les profondeurs ? Si, comme il le pensait, Shaar-Lun avait définitivement sombré pour se vouer corps et âme au chaos, le royaume souterrain devait grouiller de monstres.

Quand il eut assujetti son armure et vérifié une dernière fois son harnachement, il ceignit sa longue épée. Il se regarda dans un miroir avec un profond soupir : il allait fouler à nouveau le sol humide du labyrinthe… La Gueule du Dragon lui avait tout offert : il y avait trouvé la victoire, était devenu Empereur-Mage. Il y avait rencontré l'amour, et Sheelba comptait pour lui plus que tout au monde. Mais il y avait vécu aussi de nombreuses heures d'angoisse, dont la seule évocation faisait naître une boule douloureuse dans son ventre.

Mais Kaylan était Empereur-Mage de Selenæ. Il savait son devoir, il ne s'y soustrairait pas.

Il huma l'air, effectua deux ou trois mouvements d'assouplissement, puis enfila un long manteau de cuir, muni de nombreuses poches secrètes dans lesquelles il avait soigneusement classé les ingrédients nécessaires à ses sortilèges. Il étouffa un ricanement aigre : il agissait de la sorte pour rassurer Sheelba ! Il ne lui faudrait compter que sur ses bras et son glaive, car il faisait encore un piètre magicien ! En quelques années d'études, c'était tout juste s'il pouvait rivaliser avec les mages des villages alentour… On n'apprenait pas les arts étranges comme on s'entraînait à l'épée. Il fallait accorder son esprit, plier son corps à des pantomimes absconses, toutes choses qui ne convenaient pas à son âme guerrière.

Il lança un regard par la fenêtre de la pièce. L'air était doux, le matin ne se levait pas encore. Selenæ dormait toujours… Kaylan tourna les talons, envoyant voler les pans de son manteau de nuit, et partit rejoindre Sheelba et Arh'En Dal dans l'aile sur-ouest du palais. En parcourant les couloirs, il se surprit à contempler son ombre qui dansait dans la lueur blafarde des torches fixées aux murs. « On dirait la silhouette de… » Il lutta pour ne pas formuler le nom qui lui venait à l'esprit, mais ne put le retenir d'avantage : oui, ainsi accoutré, il ressemblait à Shaar-Lun ! « À ce Shaar-Lun que j'ai connu autrefois », rectifia-t-il mentalement. Il crispa les poings et accéléra le pas.

Sheelba et Arh'En Dal l'accueillirent dans un bureau qui jouxtait la chambre où se reposait le bébé. La jeune femme avait les traits tirés. Elle aussi avait passé une nuit blanche. Elle s'efforça de présenter bonne figure et enlaça tendrement son époux avant de lui remettre un collier orné de deux bijoux sombres.

– Des amulettes, souffla-t-elle. Tu… tu pourrais en avoir besoin.

– Merci.

– Elles tissent autour de leur porteur une sphère de détection. Tu seras averti de la présence de toute créature du chaos. De plus…

– Oui ?

– Arh'En Dal et moi, nous pourrons toujours te localiser grâce à elles. S'il devait t'arriver malheur…

Sheelba s'interrompit en portant une main tremblante à ses lèvres. Arh'En Dal enchaîna :

– Nous saurons où te retrouver, et je me fais fort de te ramener, dit-il simplement.

Kaylan embrassa le grand prêtre :

– Tu n'en auras pas besoin, mon vieil ami. Je serai bientôt de retour. Je vous le promets !

Il les salua une dernière fois et sortit précipitamment. Il craignait de ne plus avoir le courage de s'aventurer seul dans la Gueule du Dragon…

Dans la cour du palais l'attendait une escorte de cavaliers. Il sauta en selle et raccourcit les rênes de sa monture. Le cheval se cabra et poussa un hennissement. Kaylan piqua des deux et s'éloigna sans se retourner. Arh'En Dal et Sheelba le regardèrent se perdre dans la semi-obscurité. Son long manteau lui conférait une silhouette d'oiseau de nuit.

Kaylan atteignit rapidement l'entrée des souterrains. Comme il l'avait ordonné, le mur qui scellait la Gueule du Dragon avait été abattu. Le couloir béait dans la nuit, on pouvait apercevoir le contour incertain de ses parois, éclaboussées par la lumière des torches. Kaylan salua ses hommes de la tête.

– Veillez à ce que rien ni personne ne quitte cet endroit. Si un inconnu se présente, ne cherchez pas à discuter : frappez les premiers et soyez sans pitié !

Il s'empara d'un sac de cuir renfermant de nombreuses torches huilées et des fruits séchés et pénétra dans le corridor de pierre.

La gorge serrée, les gardes observèrent le halo de sa torche qui allait diminuant. Il se réduisit à la taille d'une luciole errant dans l'obscurité et fut bientôt happé par les ténèbres.

Kaylan s'engagea d'un pas décidé dans les couloirs. Il retrouva avec émotion la première salle et se remémora l'affrontement avec le djorak, la mort de

Perlæ… Il chassa ces pensées funestes : il lui fallait rester concentré, ne pas s'abandonner à la sensiblerie ! L'heure était grave, il devait agir au plus vite. Il accéléra la cadence, et traversa de nouvelles cavernes. Pas une trace de vie n'animait les lieux, et Kaylan ne savait pas s'il devait s'en réjouir ou, au contraire, en concevoir quelque inquiétude.

Il progressa ainsi pendant deux ou trois heures, jusqu'à ce que ses jambes manifestent des signes de fatigue. Une première crampe le contraignit à s'arrêter. Il fit halte dans une large grotte aux parois couvertes de lichens. L'endroit était humide, et quelques gouttes tombaient de son plafond. Leur « ploc, ploc » résonnait lugubrement, accentuant le sentiment de désolation qui régnait dans les souterrains. Kaylan dressa un campement de fortune et se massa en grimaçant de douleur. Il enrageait intérieurement : il avait bonne mine, l'Empereur-Mage, qui s'était encroûté à force de vivre dans le confort, à l'abri de son palais de rêve ! Où était donc passé le fringant aventurier qui s'engageait naguère dans ce même labyrinthe, prêt à braver mille et un adversaires ?

Il haussa les épaules : il était là, le jeune homme insouciant ! C'était bien lui qui traînait la jambe, qui maugréait dans le noir. Il fallait accepter de vieillir, ne pas s'accrocher à l'illusion d'une éternelle jeunesse… Il choisit quelques abricots secs et les dégusta tranquillement. Assez pleuré sur son sort : il fallait reprendre la route. Il se redressa, s'étira… et se figea soudain.

Une de ses amulettes irradiait à présent une lueur violette.

Il n'essaya pas de masquer la flamme de sa torche, mais s'en écarta prudemment. Sans faire le moindre bruit, il se coula derrière un rocher, dos à la paroi de la grotte. Ainsi, il ne pouvait être surpris. Le flambeau grésillait à quelques pas, envoyant voler une pluie scintillante d'étincelles qui montaient dans le noir. La lumière dessinait un cercle approximatif dans la nuit. Elle épousait les irrégularités du terrain, projetant des ombres grotesques et menaçantes alentour. Kaylan reporta son attention vers l'autre extrémité de la grotte et tenta de percer le rideau des ténèbres…

En vain : la faible portée de la flamme ne pouvait lutter contre l'ombre des souterrains.

Tendant l'oreille, l'Empereur-Mage distingua un bruit ténu, à quelques pas sur sa droite. C'était un raclement répétitif, qui semblait s'approcher peu à peu. Kaylan se ramassa, prêt à bondir, et raffermit sa prise sur le pommeau de son épée.

Soudain, il aperçut le groin d'une créature. La lumière mourante soulignait ses traits contrefaits et lui donnait des allures de diable jailli des enfers…

C'était un être de petite taille, à la formidable carrure, aux bras longs et noueux, prolongés par des mains puissantes à trois doigts. Il progressait par petits bonds. Ses jambes torses, trop courtes, ne lui permettaient pas de marcher comme un humain, mais l'obligeaient au contraire à une espèce de dandinement grotesque. Ainsi, il ressemblait à ces poupées qui faisaient la joie des petites filles : on leur donnait une petite tape sur le côté, qui suffisait à les faire se balancer pendant des heures. Oui, c'était cela ! La bête était comme ces poupées… mais ses griffes acérées n'avaient rien en commun avec les pantins de chiffons. Elles crissaient sur le sol alors que le monstre avançait, bras ballants.

De son visage couvert de poils émergeaient deux yeux globuleux, démesurés. Des globes noirs et vitreux, qui roulaient en tout sens. Parvenu à quelques pas de la torche, il grogna et leva un bras pour se protéger les yeux.

« Des créatures des profondeurs, songea Kaylan. Elles ne supportent pas la lumière, et doivent être pratiquement aveugles… Ce qui veut dire qu'elles ont développé d'autres sens. » Comme pour confirmer ses déductions, la bête stoppa net, et tourna la gueule dans sa direction, humant l'air avec force. Elle se redressa, battit l'air de ses bras et lança une série de cris stridents.

« Je suis repéré, pensa Kaylan. Elle possède un flair qui lui a permis de me localiser. Il faut fuir avant qu'elle ne soit rejointe par ses congénères. »

Sans plus réfléchir, il bondit au-dessus de la roche et se fendit pour transpercer la créature de son épée.

Celle-ci évita la charge avec une souplesse insoupçonnable en regard de sa morphologie, et répliqua aussitôt en lançant ses deux bras en avant pour agripper Kaylan avec ses griffes. Le guerrier fléchit les jambes, tombant à genoux sur le sol rugueux. Il sentit les membres musculeux du monstre fouetter le vide à quelques centimètres de sa tête. Il frappa à nouveau, et la pointe de son épée atteignit la bête au ventre. Insensible à ses hurlements de douleur, Kaylan se redressa et frappa à nouveau. Les cris s'étranglèrent, et la bête s'affaissa.

L'Empereur-Mage n'attendit pas. En quelques enjambées, il rejoignit son bivouac, s'empara de son sac et de sa torche et s'enfuit. Déjà, un concert de grognements s'élevait dans son dos. D'autres monstres arrivaient, reniflant et râlant de colère…

Il redoubla d'efforts et s'engagea en courant dans une galerie qui s'enfonçait en serpentant dans la terre. Le sol du boyau était couvert de mousse humide. Kaylan trébucha et partit en roulé-boulé. Il heurta violemment la paroi à plusieurs reprises sans parvenir à se rétablir. Il dévalait la forte pente, incapable de ralentir sa descente. Sa torche lui avait échappé des mains et il glissait dans les ténèbres, priant pour que ce toboggan naturel ne débouche pas sur un abîme souterrain…

Contre toute attente, il finit par atteindre une étendue sablonneuse qui amortit sa chute. Il resta là, immobile, le souffle court. La tête lui tournait, et il peinait à reprendre ses esprits. À tâtons, il retrouva son sac, en sortit une torche et un briquet de silex.

Au bout de quelques tentatives infructueuses, il parvint à faire du feu et à s'éclairer. Il leva sa torche et découvrit une caverne de dimensions réduites. Deux nouveaux couloirs s'en échappaient un peu plus bas. Il s'approcha du passage par lequel il était arrivé et tendit l'oreille. Là-haut, des grognements rageurs se faisaient entendre. Quelques cris ricochèrent en écho diffus, qui le firent sourire. Au moins, les bêtes ne semblaient pas décidées à le suivre jusque-là ! Il ne se réjouit pas outre mesure, cependant : c'étaient des créatures des ténèbres, qui avaient fait réagir les amulettes confiées par Sheelba… La menace devait être bien grande, en ces lieux, pour qu'elles se refusent à l'y rejoindre !

Kaylan posa son flambeau et s'épongea le front avant de prendre une gourde et de boire lentement. Il s'efforçait de garder son calme. Il fallait profiter de cet instant de répit pour récupérer et se détendre. Il devait ménager ses forces, ne pas s'épuiser inutilement…

Quand il se fut un peu reposé, il reprit son exploration minutieuse de l'endroit. Il se déplaçait lentement, observant chaque repli de la roche.

Quelque chose le mettait mal à l'aise... Il n'aurait su dire la raison de son trouble : c'était sourd, diffus. Mais une petite voix s'était éveillée dans son subconscient, qui l'exhortait à la prudence. Instinctivement, il porta la main à son cou et sursauta : le collier ! Dans sa chute, il avait perdu le collier aux amulettes ! Il revint sur ses pas, cherchant fébrilement sur le sol, balayant de sa torche les alentours. Le collier n'était pas dans la grotte. La mort dans l'âme, il revint vers le boyau sinueux et en inspecta les proches abords. C'est là qu'il l'aperçut : le cordon était invisible, mais les amulettes brillaient toutes deux de mille feux dans l'obscurité.

Un voile de sueur âcre couvrit le dos du guerrier. Des suppôts des ténèbres étaient là, tout proches ! Les amulettes les détectaient, elles l'avertissaient du danger !

Il s'allongea sur le sol et tendit la main. La pente était trop forte et trop glissante pour qu'il pût espérer la gravir, mais il parvint à prendre appui du pied sur une aspérité. En plaquant son ventre à la paroi, il parvint à s'étirer au maximum, jusqu'à saisir un des bijoux luisants du bout des doigts. Avec un soupir de soulagement, il se laissa retomber sur le sol de la petite grotte. Il avait récupéré son précieux collier !

Il le passa autour de son cou et le glissa sous sa chemise. Les pierres irradiaient comme des braises incandescentes. Il reprit sa progression à pas prudents.

D'où pouvait donc venir la menace ? Les amulettes ne se trompaient-elles jamais ?

Il avait beau tourner la tête en tout sens, il ne voyait rien, dans cette grotte, qui pût constituer une menace.

À moins que…

Il leva sa torche au-dessus de sa tête et l'approcha de la paroi. Ce qu'il découvrit alors le glaça.

La paroi avait bougé ; elle s'était contractée sous la morsure de la flamme !

« Le Dragon ! songea Kaylan au comble de l'horreur. Il existe vraiment ! »

Il ne put réfléchir davantage : le sable se mit à rouler sous ses pieds.

Un violent sursaut le jeta au sol. En perdant l'équilibre, il lâcha sa torche et cria :

– J'ai trouvé le Dragon ! J'avance sur lui… Il s'éveille !

Il tomba, le visage dans le sable, et se retrouva plongé dans le noir.

6

Kaylan resta inerte un long moment. Une peur viscérale lui nouait les entrailles, le clouant au sol. Il crut un moment basculer dans la folie, mais l'image de Sheelba et de son fils apparut devant ses yeux. La voix de la jeune femme était claire, ses paroles apaisantes : « Ressaisis-toi, je t'en prie ! Tu dois te relever, tu dois réagir. Pour nous. »

L'image se dissipa peu à peu, et Kaylan finit par recouvrer ses esprits.

Le sol ne bougeait plus. Le calme était revenu dans la grotte.

Kaylan se redressa et se déplaça dans le noir absolu, mains tendues. Il finit par atteindre une des parois et s'y adossa, adoptant une position confortable. Il allongea les jambes et posa son épée en travers sans en lâcher la garde. « À présent, se dit-il, il ne me reste plus qu'à retrouver les torches, en espérant n'avoir pas perdu le briquet… »

Dans le noir opaque, les bruits paraissaient plus nets, plus forts. La respiration du guerrier emplissait toute la salle. Il s'appliqua à la maîtriser. « Tu as été victime d'une hallucination, se répétait-il, tu es trop nerveux, tu es épuisé. Prends un peu de repos. »

Il adressa des remerciements muets à Sheelba. L'apparition n'était-elle qu'un caprice de son esprit, ou l'impératrice avait-elle usé de ses pouvoirs pour lui venir en aide ? Il se promit de l'interroger à son retour.

Pour l'heure, il avait atteint les limites de sa résistance physique. Ses membres étaient lourds, chaque muscle le tiraillait. La tête lui tournait…

Fort heureusement, la grotte n'était plus animée, et il s'y sentait en sécurité. Les monstres croisés plus haut ne le suivaient pas, et le silence parfait lui permettrait de détecter le plus petit mouvement d'approche…

Perdu dans ses pensées, il se détendit. Peu à peu, il s'abandonna et sombra dans un profond sommeil.

Une musique se fit entendre, que Kaylan perçut du fond de son sommeil. La mélodie, envoûtante, s'infiltra dans son esprit embrumé. Il finit par refaire surface et cligna des yeux.

Devant lui, l'une des entrées de la grotte était illuminée. Comme une bouche maquillée de givre, les lèvres rocheuses s'étaient ourlées de blanc. Du fond du corridor, une violente source lumineuse éclairait les parois.

Kaylan s'ébroua et se redressa, l'épée à la main.

Des rires et des chants lui parvinrent : les mélodies étaient séduisantes, les voix sublimes. Douces, chaudes, elles l'attiraient irrésistiblement.

Abandonnant tout son matériel, il s'engagea dans le couloir illuminé sans prendre aucune précaution.

Aveuglé par la clarté, il dut mettre une main en visière devant ses yeux. Un spectacle fascinant l'attendait au bout du passage.

L'endroit était baigné de lumière. Des larmes douloureuses inondèrent les yeux du jeune guerrier. Il leva la tête et constata que le soleil brillait dans le ciel vierge de tout nuage. La boule incandescente lui brûlait la cornée, et Kaylan fit quelques pas de côté, cherchant à échapper à la trop vive clarté. Il chancela et chercha un appui d'une main tremblante.

Sa tête le faisait horriblement souffrir, il éprouvait les plus grandes difficultés à ordonner ses pensées.

Il ne comprenait plus rien. N'était-il pas, quelques instants plus tôt, au fond d'une grotte humide, poursuivi par des monstres ?

– Kaylan ! Kaylan !

Il sursauta : on venait de l'appeler par son nom !

Incrédule, il balaya la grotte du regard.

Trois jeunes femmes ravissantes lui faisaient face. Leurs visages étaient radieux, elles souriaient.

– Tu dois te sentir épuisé, après toutes ces émotions ! fit la première.

– Viens avec nous, fit la suivante en lui prenant doucement le bras. Nous avons de quoi te réchauffer le cœur et l'âme.

Il aurait voulu répliquer, mais n'en eut pas le temps. La troisième jeune femme avait éclaté de rire :

– Allons, ne fais pas cette tête ! Sommes-nous si repoussantes ?

Incapable de parler, il se contenta de secouer la tête.

– À la bonne heure ! s'écrièrent-elles de concert.

Elles rirent à nouveau et l'entraînèrent dans la partie opposée de la grotte.

Une porte s'ouvrait dans la paroi, donnant directement sur une grande pièce magnifiquement meublée. Il y avait là un lit à baldaquin, des sofas recouverts de fourrures, et une table basse. Sur cette dernière, on avait dressé un buffet somptueux : des boissons colorées dans des carafes de cristal, des coupes de fruits, des entremets soigneusement présentés…

– Ici, reprirent les filles, tu vas pouvoir te reposer et te détendre. Nous sommes à tes ordres ! Nous ferons tout ce que tu voudras : profite de ton passage, mange, bois, reprends des forces. Tu as tout ton temps.

Kaylan aurait voulu objecter, dire que le temps lui faisait au contraire cruellement défaut, qu'il ne pouvait se permettre de rester ainsi… Mais ses forces l'abandonnaient. Il fut pris de vertiges, et les jeunes femmes l'allongèrent sur le lit.

Avec des rires enfantins, elles lui ôtèrent ses bottes, le débarrassèrent de son manteau, de son harnachement. Il fut bientôt en chemise et goûta le contact chaud et rassurant des fourrures.

Il était sur le point de s'abandonner, mais une partie de lui luttait encore.

Kaylan se sentait envahi par des sentiments contradictoires.

Tout allait trop vite, soudain. Une joie immense, presque sauvage, lui brûlait la poitrine et lui empourprait le visage. Dans le même temps, une désagréable petite voix hurlait des messages d'alerte au fond de son cerveau.

Kaylan chercha ses mots. Un doute inexplicable l'étreignait.

– Je… je ne peux pas y croire. Cela ne peut pas être vrai.

L'Empereur-Mage bondit sur ses pieds. Le décor sembla vaciller autour de lui, et il dut battre l'air des bras pour maintenir son équilibre.

Les jeunes femmes s'étaient approchées. Elles le dévisageaient, inquiètes :

– Kaylan ? Que t'arrive-t-il ? Pourquoi résistes-tu ?

– Cela ne peut pas être vrai, répéta-t-il comme pour s'en persuader. Vous n'êtes pas là ! Je rêve !

La première fille se pencha vers lui :

– Mais enfin, grinça-t-elle, pourquoi refuser ce que nous t'offrons ?

Kaylan battit des cils. La voix de la jeune femme avait mué. Elle... elle grinçait ! Il écarquilla les yeux.

Le sourire de la femme s'était effacé, laissant place à une grimace qui lui déformait le visage. Kaylan recula, mais il se prit les jambes dans ses effets et tomba à la renverse.

Avec horreur, il vit le décor se transformer. Les meubles s'évaporaient, la lumière perdait son intensité...

– Que m'arrive-t-il, par la Malemort ?

Les visages de ses trois hôtesses fondaient, leurs traits s'épaississaient, leur peau dégoulinait comme un masque de boue. Elles laissèrent entendre des ricanements cruels et dévoilèrent des dentitions de prédateurs... Elles se jetèrent sur Kaylan avec des grognements de bêtes.

Kaylan leva le bras pour se protéger le visage, et la première le mordit avec avidité.

Il cria de douleur et la frappa du poing, la repoussant à quelques pas. La créature râlait. Elle passa une main sur ses babines et fit claquer sa langue. Effaré, Kaylan considéra la chair de son avant-bras, où le baiser goulu avait laissé une trace sanglante. La… chose dardait sur lui des yeux fous.

– Tu es à nous, déclara-t-elle d'une voix d'outre-tombe. Tu ne nous échapperas pas !

Elle le saisit à l'épaule et planta ses crocs dans sa gorge. Les autres l'imitèrent aussitôt, en le mordant aux jambes et au torse. Tétanisé par la souffrance, Kaylan gémit sourdement et s'effondra. Des éclairs de douleur couraient sur sa peau et vampirisaient ses forces.

L'Empereur-Mage faiblissait. Il se sentait partir. Il hurla son désespoir :

– Noooon !

Il s'éveilla en sueur dans la caverne, envahie par une désagréable odeur acide. L'amulette de Sheelba, accrochée à son cou, irradiait. Sa température s'était élevée et le joyau brûlant avait meurtri sa peau. Il avait été tiré du sommeil par la douleur !

L'éclat du bijou redoubla d'intensité. Kaylan se rétablit d'un bond, roulant des yeux fous. Il arracha son collier et, le tenant à bout de bras, il fouilla les ténèbres pour repérer son sac. Dès qu'il le vit, il se jeta dessus, prit une torche et l'alluma. La flamme grésilla, éclaboussant de lumière la grotte obscure. Alors l'Empereur-Mage suffoqua en mesurant l'horreur de sa situation.

Le lichen qui tapissait les parois s'était transformé. Kaylan était à présent couvert d'une espèce de salive moussue qui agressait sa peau, le brûlant par endroits. La même sève suintait sur toutes les parois de la grotte. Ses pieds faisaient abominablement souffrir le jeune homme. Il faillit céder à la panique : il se trouvait à l'intérieur d'un organisme vivant, il allait être digéré par un monstre !

Il fit volte-face et chercha des yeux la sortie. Mais les « portes » étaient closes, les lèvres s'étaient refermées…

Kaylan hurla de terreur et, enserrant fermement la garde de son épée, se mit à frapper à toute volée les parois. Il abattait sa lame sur les murailles qui l'entouraient. La rage et la douleur décuplaient ses forces. Son arme tournoyait tant et plus, et traçait des sillons dans ce qu'il avait pris pour de la pierre. Hélas, loin de saigner, la créature suintait de plus belle, et Kaylan, au comble de l'horreur, constata que les plaies se refermaient sitôt ouvertes…

Il tomba à genoux, le souffle court. La douleur avait eu raison de sa rage. Il cracha de dépit.

– Inutile, souffla-t-il, si ça ne peut pas saigner, ça ne peut pas mourir…

Il laissa échapper un ultime cri de révolte, tandis que les sucs épais coulaient du plafond pour se répandre sur ses cheveux et ses épaules. Il bascula en arrière, plongeant dans le liquide qui engluait le sol. La souffrance était devenue insupportable.

Soudain, l'image de Sheelba se matérialisa à nouveau devant lui. La jeune femme le considérait avec compassion.

Elle se pencha vers lui, murmura des paroles de réconfort et disparut.

– C'est fini, balbutia-t-il, j'ai des visions… Je vais mourir.

Il eut une dernière pensée pour sa femme, et pour ce fils à qui il n'avait pas eu le temps de donner un nom…

Une formidable convulsion du monstre agita le sol de la caverne. Toute la grotte fut secouée de soubresauts furieux.

Le guerrier n'était plus conscient. Il ne sentit pas la fumée épaisse qui emplissait l'endroit, il ne distingua rien du brasier qui consumait son sac.

Il ne vit pas la gueule s'ouvrir, ne réalisa pas qu'il était recraché dans un couloir de pierre. Il ne perçut pas la plainte du monstre qui se rétractait dans sa galerie.

Il n'entendit pas la voix de Sheelba :

– Tu es sauvé, mon amour. Tu vas pouvoir me revenir…

7

Kaylan se réveilla transi. Il frissonnait, et ne parvenait pas à empêcher ses dents de s'entrechoquer. Il jetait à l'entour des regards apeurés, s'attendant à voir apparaître une des trois créatures qui l'avaient poursuivi dans son cauchemar…

Mais était-ce vraiment un cauchemar ? N'avait-il pas vécu ces aventures ? Il n'aurait su le dire…

Ces images étaient bien réelles, comme les brûlures sur sa peau.

Il eut un haut-le-cœur en réalisant qu'il avait manqué de finir digéré par un monstre. Il s'agenouilla devant la paroi, qu'il sonda du bout des doigts. C'était bien de la pierre, mais alors… où était passée l'ouverture par laquelle il avait été recraché ? Qu'était devenue la bête qui l'avait emprisonné dans son ventre ?

Non loin de lui, un dernier flambeau brûlait, dispensant une lumière tamisée.

Il se déshabilla, déchira son manteau et entreprit de se nettoyer avec soin. Sa peau était boursouflée en plusieurs endroits, sous l'effet des sécrétions acides. Il prit une petite fiole dans la doublure de son vêtement et en versa le contenu sur ses mains. C'était de la graisse avec laquelle il avait l'habitude d'entretenir son arme.

Il s'en badigeonna lentement, ce qui atténua un peu la sensation de brûlure.

Il finit par se relever et empoigner sa torche. Il ne lui restait plus que quelques heures de lumière, à en juger par l'état d'usure du flambeau.

Kaylan enfila à nouveau ses vêtements, réajusta son harnais et reprit la route au hasard. Il ne savait plus où il était, et n'avait plus qu'une idée en tête : retrouver Shaar-Lun, ou retourner à la surface avant d'être condamné à errer sans fin dans le noir.

Si la torche s'éteignait au détour d'un corridor, il serait à la merci des créatures de la nuit. Elles étaient pour la plupart aveugles, et en cas de conflit dans l'obscurité il n'aurait aucune chance face à elles ...

Il s'ébroua pour chasser la désagréable comptine qui s'imposait à son esprit : « Kaylan est perdu, Kaylan est bientôt mort ! L'Empereur-Mage est vaincu ! »

Il secoua la tête avec rage.

– Non ! tonna-t-il. Je suis encore vivant !

Mais le venin de la peur se diffusait dans ses veines. Ses jambes fléchirent plusieurs fois, refusant de le porter plus longtemps.

– Ce n'est pas vrai, balbutia-t-il. Ce n'est pas possible !

Et la comptine résonnait sous son crâne, récitée par des voix démentes : « Kaylan a peur, il meurt de peur ! »

Il serra les poings et laissa fuser une longue plainte.

Oui, pour la première fois de sa vie d'homme, il avait peur. Il perdait pied, envahi par une terreur superstitieuse face à ce Dragon qui dormait là, quelque part sous ses pieds. Il se sentait impuissant, devant cet adversaire d'envergure divine, qui ne craignait ni l'acier ni la magie...

Quelque chose se brisa dans son esprit, et il se mit à courir au hasard. La tête vide, il remonta les couloirs, plongeant à l'aveuglette dans les ouvertures qui se présentaient. Sa fuite vers la sortie ne fut qu'un long chemin halluciné, pavé de cauchemars et de visions abominables.

Il fut amené à combattre, et se défit de ses adversaires sans en avoir pleinement conscience. Il frappait mécaniquement, rompait aussitôt et prenait ses jambes à son cou.

Il hurlait, et ses cris étaient des chants de guerre mêlés de pleurs.

Il voulait rejoindre Sheelba, revoir la lumière. Il voulait retrouver son fils, le serrer contre son cœur.

À cet instant, Shaar-Lun n'existait plus, ni le Dragon ni aucune menace tangible.

Ne restait que la terreur immonde qui aiguillonnait son cerveau.

Après plusieurs heures d'une course haletante, il aperçut au bout d'un couloir l'ouverture lumineuse d'une sortie. Les poumons en feu et la bave aux lèvres, il puisa dans ses dernières forces et accéléra le pas. Il parvint enfin au-dehors, accueilli par les cris de stupeur des gardes qui surveillaient l'entrée. Il s'adossa à la paroi et les vit s'approcher, l'arme haute.

Kaylan passa la langue sur ses lèvres desséchées :

– Holà, soldats ! Ne reconnaissez-vous plus votre empereur ?

L'un des hommes lâcha son arme et s'agenouilla respectueusement :

– Pardonnez-nous, Majesté, nous… Nous ne vous avions pas reconnu !

Les autres gardes firent de même, baissant la tête devant leur souverain.

Kaylan, le souffle encore rauque, fit quelques pas dans la lumière et s'approcha d'une des vasques qui flanquaient l'entrée de la Gueule du Dragon. Il se pencha pour y puiser de l'eau, et il resta figé.

La surface sombre lui renvoyait son reflet, et il hoqueta : ses cheveux étaient d'un blanc laiteux, ses joues étaient creusées et des rides profondes sillonnaient son visage.

L'Empereur-Mage étouffa un sanglot tandis que lui revenaient en mémoire les paroles de Arh'En Dal : « Le Titan endormi est un être fabuleux qui exerce une influence maligne sur tous les êtres qui s'approchent de lui. Quand on séjourne trop longtemps dans l'ombre du Dragon, on n'en sort pas indemne… »

Il ordonna d'une voix pâle qu'on surveille encore l'entrée des souterrains. Les hommes s'exécutèrent en silence. Abasourdis par sa transformation, ils s'efforçaient de ne pas lancer à leur monarque des regards susceptibles de le blesser. Ils détournaient pudiquement les yeux quand leur chef s'adressait à eux, tout en partageant sa détresse : Kaylan avait à présent le visage d'un vieillard…

Il emprunta à l'un de ses hommes son manteau et en releva la capuche pour dissimuler son apparence. La mort dans l'âme, il remonta à cheval et se mit en route pour le palais. Il était submergé par la honte : il avait trahi la confiance des siens, n'avait pas retrouvé Shaar-Lun, s'était comporté comme un imbécile… et un lâche.

Il en payait le prix.

– Regarde-toi, au lieu de pleurer sur ton sort : tu n'as que ce que tu mérites, siffla-t-il entre ses dents.

Sheelba, quand elle te verra ainsi, voudra-t-elle encore de toi ?

Il entra au pas dans la cour du palais, mit pied à terre et gravit lentement les marches qui menaient à l'intérieur. D'un geste, il congédia les serviteurs qui avançaient avec des serviettes et un nécessaire à toilette et s'enfonça dans la galerie qui menait aux nouveaux appartements de son épouse.

Il n'était pas encore au bout de ses peines…

Il fut accueilli par Arh'En Dal. Le vieil homme ne cachait pas sa détresse.

– Sheelba, bégaya-t-il, elle…

Une poigne de givre se crispa autour du cœur de Kaylan :

– Quoi ? Que lui est-il arrivé ?

Ce faisant, il avait relevé sa capuche et révélé son visage au grand prêtre. Arh'En Dal se raidit :

– Ainsi, tu es entré en contact avec le Titan…

Il se tut et entraîna Kaylan vers la chambre.

Sheelba paraissait dormir sur le grand lit. Sa respiration était régulière.

Tandis que Kaylan se penchait sur sa bien-aimée, le grand prêtre bredouilla quelques explications :

– Elle s'est épuisée à projeter son image dans le souterrain et te venir en aide…

Kaylan l'interrogea du regard.

– Elle a dépensé son énergie sans compter, poursuivit Arh'En Dal. Elle voulait savoir, s'inquiétait pour toi… Et puis elle t'a vu dans le ventre de cette bête…

– Tu n'as rien fait pour l'en dissuader ? aboya Kaylan.

– Non, je n'ai pas pu. Si elle n'était pas partie là-bas pour mettre le feu à tes torches, jamais nous ne t'aurions revu.

Kaylan était désemparé. Ses yeux couraient du visage livide de Sheelba à celui du grand prêtre. Il ne savait plus que penser, plus démuni qu'un enfant.

– Et mon fils ? s'inquiéta-t-il soudain. Où est-il ?

Arh'En Dal eut un geste d'extrême lassitude. Ses épaules s'affaissèrent, et il n'osa pas regarder l'Empereur-Mage :

– Il… Oh, que la Lune sombre me pardonne, c'est un grand malheur…

– Quoi ? s'écria Kaylan au comble de l'angoisse. Mais parle donc !

– L'enfant a été… enlevé, finit par avouer Arh'En Dal.

Ce fut comme si tout s'effondrait autour de Kaylan.

Il s'assit au bord du lit et saisit doucement la main de Sheelba. La jeune femme tressaillit à son contact, mais ne reprit pas connaissance.

– Enlevé, répétait Kaylan, mon fils a été enlevé…

Il ne parvenait pas à réaliser la situation.

Il s'était emporté, n'avait écouté que sa fougue. Il s'était lancé dans un périple hasardeux quand on avait tant besoin de sa présence !

Il baissa la tête, anéanti.

– Je suis l'empereur des imbéciles, cracha-t-il. Je me suis conduit comme un enfant capricieux, j'ai cru une fois de plus pouvoir tout résoudre par la seule force de mon arme…

– Rien ne sert de te mortifier, déclara Arh'En Dal. Il faut songer à réparer ce qui peut l'être…

– Ah oui ? l'interrompit brutalement Kaylan. Et qu'est-ce qui peut encore être réparé ? Ma femme est aux portes de la mort, plongée dans un coma dont nul ne sait si elle en réchappera un jour, même pas toi, le grand prêtre de la Lune sombre ! Mon fils a été enlevé par des êtres qui veulent le sacrifier pour permettre le réveil du Dragon ! Ma ville va être ravagée par un tremblement de terre quand le Titan se lèvera, et tu parles de sauver quelque chose ?

Il hurlait de rage. Il se savait impuissant, et ce sentiment nouveau lui était intolérable. Il aurait voulu tout briser autour de lui, passer sa colère sur quelque chose, ou quelqu'un… Il se raidit soudain.

– Shaar-Lun, siffla-t-il. C'est lui le responsable.

Il dévisagea Arh'En Dal, et le grand prêtre détourna la tête. Il y avait tant de haine dans les yeux de l'empereur…

Arh'En Dal resta silencieux quelques instants. Il alla vers la fenêtre.

– Tu n'agis plus pour toi, fougueux guerrier, commença-t-il. Il n'est plus seulement question de ton bien-être ou de celui de ta femme…

– Tu oublies mon fils, rugit Kaylan. Personne n'avait le droit de s'attaquer à lui !

– Assez ! tonna Arh'En Dal.

Kaylan se tut, bouche bée. Les colères du grand prêtre étaient rares, et elles n'en avaient que plus de poids. Arh'En Dal fulminait :

– Je croyais t'avoir enseigné la sagesse et la réflexion ! Comme je m'étais trompé ! Tu ne réagis qu'avec haine, sans t'accorder le moindre recul ! Ne comprends-tu pas les enjeux de ton futur combat ? C'est la survie de tout un peuple qui se joue à présent ! Si tu échoues, personne ne survivra. Ce sera la fin d'une ère, la fin d'un monde…

Kaylan se radoucit :

– Pardonne-moi, je suis à bout.

– Je te comprends. Tu as été soumis à de rudes épreuves. Tu as payé le prix de ton inconscience…

– Je suis prêt à donner ma vie pour sauver les miens, déclara solennellement Kaylan.

Il leva à hauteur de visage ses mains constellées de taches brunes :

– Ma vie… ou le peu qu'il m'en reste !

Arh'En Dal acquiesça :

– Oui, je le sais. Moi aussi, je suis prêt à mourir pour empêcher cette apocalypse. Mais peut-être est-ce également le but recherché par nos adversaires…

Kaylan s'était redressé, intrigué :

– Que veux-tu dire ?

– J'entends par là que nous ne savons rien des intentions de ceux qui se sont attaqués à ton fils. Peut-être, après tout, n'est-ce qu'un piège, une manière de t'entraîner vers les profondeurs…

– Non, objecta Kaylan, ça ne tient pas debout : ils me tenaient, dans cette caverne. J'étais à leur merci, il ne leur restait qu'à me cueillir quand je gisais inconscient dans le noir.

– Tu as probablement raison, convint Arh'En Dal. Donc… ils veulent vraiment réveiller le Titan endormi. Et, comme l'a dit Shaar-Lun – ou qui que ce soit ! –, ils ont besoin de sang impérial. Mais je n'arrive pas à comprendre le but d'une telle folie : pourquoi vouloir faire régner la terreur et le chaos ?

Arh'En Dal faisait à présent les cent pas, perdu dans ses pensées. Kaylan se leva et vint se poster devant lui :

– Quelle est cette histoire de sang ?

Arh'En Dal blêmit.

– C'est… un des termes de la prophétie, avoua-t-il comme à regret.

– Bon, soupira Kaylan. Maintenant, tu vas tout me dire…

– Mais il y a tant de choses à apprendre, et tu as si peu de temps, gémit le grand prêtre.

– Dis-m'en un minimum. Je ne peux pas partir à l'aveuglette !

– C'est vrai, mon enfant. Je suis si troublé que j'en oublie l'essentiel.

Arh'En Dal entraîna Kaylan à l'écart :

– Éveiller le Dragon demande une cérémonie particulière. On n'oblige pas le Titan à se lever, on peut juste l'inviter à écouter… Pour ce faire, on doit se livrer à un rite précis, faisant appel à la plus haute magie. Il s'agit d'actes impies, qui appellent sacrifice. Et le sang ainsi offert doit être lui-même empreint de pouvoir. Quel sang est plus magique que celui d'un Empereur-Mage ?

Kaylan eut un geste d'incompréhension :

– Pourquoi n'avoir pas enlevé Sheelba, qui était sans défense ? Ou moi, lorsque j'étais à l'agonie ?

– J'y ai réfléchi en ton absence. Votre fils est un être plus précieux encore : il est issu de vos deux lignées. Jamais Selenæ n'a possédé un tel trésor. Jamais il n'y a eu deux souverains régnants. Et jamais encore un couple de monarques n'a engendré de descendance !

– Je peux me proposer en échange : ils me captureront et libéreront l'enfant, hasarda Kaylan.

– Hélas, non : ton fils représente bien plus que toi ou Sheelba !

Le silence s'abattit sur la chambre. Les deux hommes soupesaient les risques, échafaudaient des plans.

Kaylan se releva enfin et alla déposer un baiser sur le front de Sheelba.

– Je vais y aller, dit-il doucement à l'oreille de son épouse. Ne crains rien, je vais le ramener. Je te le jure…

Puis il se tourna vers Arh'En Dal :

– Viens avec moi, je dois m'équiper. Tu me donneras tes dernières instructions.

Ils rejoignirent les appartements impériaux, laissant la chambre de Sheelba sous bonne garde. Des médecins s'affairaient autour de la jeune femme, s'assurant de son bien-être.

Kaylan se lava longuement et coupa ses cheveux, sacrifiant sans regret ses longues mèches aux reflets de lune. Il choisit avec soin quelques armes dans son râtelier personnel et réunit les éléments nécessaires à ses sorts :

– Cette fois, il faudra m'en servir à bon escient…

Arh'En Dal dansait d'un pied sur l'autre, en proie à une excitation grandissante :

– Il y a encore une chose…

– Oui ?

– Pour être la plus efficace, la cérémonie sacrificielle doit être exécutée à un moment bien particulier, pendant lequel la Lune sombre occupe un point précis dans le ciel et…

– Parle sans ambages, l'encouragea Kaylan, je n'en suis plus à une désillusion près !

– La prochaine conjonction lunaire aura lieu dans quelques jours, déclara Arh'En Dal. Ce sera alors le moment idéal pour une conjuration… Si la cérémonie se déroule à ce moment précis, elle a toutes les chances d'aboutir. Alors, plus rien ne pourra empêcher l'éveil du Dragon.

Kaylan fit jouer nerveusement ses poings :

– De combien de temps vais-je disposer pour les rattraper ?

– Trois jours, souffla Arh'En Dal. Dans trois jours, à minuit, la Lune sombre rayonnera de toute sa puissance, et la magie des humains sera à son apogée.

Kaylan sentit son cœur s'emballer sous sa poitrine. Il lutta pour retrouver son calme :

– Laisse-moi trois heures de repos, mon vieil ami. Puis viens me réveiller.

Le grand prêtre le salua et se retira.

– Je vais veiller sur Sheelba, dit-il en guise d'au revoir.

Resté seul, Kaylan s'allongea sur sa couche. Sa poitrine se soulevait de façon désordonnée, et des images effroyables se bousculaient sous ses paupières closes. Il se voyait plonger au cœur d'un maëlstrom de fureur, entraîné vers une gueule gigantesque, bordée de crocs luisants. Il glissait, sans pouvoir résister à l'appel du monstre, et périssait dans des souffrances abominables…

Il s'assit sur son lit, prit une cruche d'eau fraîche et s'en aspergea le visage.

Il se leva, et fit quelques pas dans la chambre. Non, décidément, il ne trouverait pas le sommeil…

Il aperçut involontairement son reflet dans un miroir et resta là, muet, à contempler l'œuvre du Dragon sur son visage. Ses traits étaient profondément creusés, comme autant de cicatrices sombres.

Des cernes violacés soulignaient ses yeux. Il se sentait vidé, usé… presque mort ?

Il détourna la tête quand les premières larmes roulèrent sur ses joues.

– Assez ! s'écria-t-il. Ne pleure pas sur ton sort, tu n'en as pas le droit. C'est pour Sheelba, pour ton fils, pour tout un peuple que tu vas te battre !

Il s'en retourna à son lit et s'obligea à prendre du repos.

Se battre, oui… Mais en avait-il encore la force ?

Le Dragon, en pervertissant son visage, ne lui avait-il pas aussi volé sa jeunesse et sa force ?

Il réprima un tremblement et se prit à espérer que ce fût à cause de la fraîcheur du soir.

Épuisé nerveusement et physiquement, il finit par s'endormir d'un sommeil de plomb.

Arh'En Dal le réveilla comme convenu au bout de trois heures.

Le grand prêtre aussi accusait la fatigue.

– Sheelba ? s'inquiéta Kaylan.

– Elle va bien, le rassura Arh'En Dal. Les médecins veillent, ils ont bon espoir. Elle va se réveiller.

Kaylan sourit tristement :

– Au moins ne m'aura-t-elle pas vu dans cet état…

Arh'En Dal le prit dans ses bras :

– Tu dois être fort, mon enfant. Tu as peu de temps, mais nous serons avec toi. Les mages du palais uniront leurs forces, et ils pourront peut-être te venir en aide. À présent, hâte-toi.

Kaylan prit ses affaires et descendit dans la cour du palais. Son cheval l'attendait, piaffant d'impatience.

Avant qu'il ne quitte l'enceinte fortifiée, le grand prêtre lui remit une petite fiole, dans laquelle flottaient trois points lumineux.

– Des braises-lucioles, lui expliqua-t-il. Elles ne vivent que trois jours et s'éteignent progressivement avant de mourir. Elles te permettront de mesurer le temps là où tu vas…

Kaylan le remercia d'un signe de tête.

Il ne parvenait plus à parler.

Sans plus attendre, il talonna sa monture et partit vers la Gueule du Dragon.

La course commençait…

8

Kaylan voulait arriver au plus vite, ne plus s'accorder le temps de penser. La peur était là, qui se déversait dans ses veines à chaque battement de son cœur.

Pire encore, la honte envahissait son esprit. « Tu dois faire le vide, se répétait-il, il faut te consacrer à ta seule mission, et cesser de te lamenter. » En arrivant auprès de la Gueule du Dragon, il ralentit l'allure et rabattit la capuche de son manteau. Il n'aurait pas supporté les regards apitoyés de ses hommes.

Il mit pied à terre et salua brièvement les gardes, qui l'escortèrent aux limites du souterrain.

– Majesté..., commença l'un d'eux comme il allait s'enfoncer dans l'obscurité.

Kaylan se raidit :

– Oui ?

Il s'en voulut aussitôt d'avoir répondu trop sèchement.

L'homme hésitait, consultant ses compagnons du regard. Ils hochèrent la tête pour l'encourager. Il fit face à Kaylan et mit un genou en terre, aussitôt imité par ses compagnons :

– Nous voulions vous dire combien nous étions fiers de servir un homme tel que vous, et à quel point votre sacrifice nous pèse…

Kaylan fut ébranlé par le ton de sa voix.

– Relevez-vous, fit-il doucement.

Les soldats se remirent sur pied. Ils souriaient à présent :

– Majesté, ce serait un honneur de vous accompagner et de combattre à vos côtés !

Kaylan releva sa capuche et se présenta à la lueur de leurs flambeaux. Il s'approcha du chef de la garde et lui donna l'accolade.

– Merci. Sachez que votre témoignage de fidélité me va droit au cœur. Mais, reprit-il d'une voix sourde, je dois accomplir cette mission seul.

Les hommes le saluèrent et il plongea dans l'obscurité.

Il fouilla dans un repli de son manteau, s'assura que la petite fiole enfermant les braises-lucioles pendait bien à sa ceinture et s'empara d'une pierre de lune, dont le halo bleuté illuminait les parois du couloir. Puis il reprit sa progression sans plus se retourner.

Il avançait vite dans le labyrinthe des souterrains, évitant soigneusement toute rencontre, usant de charmes de discrétion ou de silence – au moins, les longues heures passées à étudier la magie avec sa femme avaient-elles porté leurs fruits !

Il emprunta les chemins les plus directs et s'enfonça rapidement dans les profondeurs de la terre. Bientôt apparurent les premières créatures du chaos, ces hybrides aveugles qui évoluaient dans le noir en se fiant à leur odorat et leur ouïe. Il dut redoubler de prudence et ralentir. Les amulettes de Sheelba lui servirent à maintes reprises : leur éclat s'intensifiait à l'approche des monstres, de sorte que jamais il ne se laissait surprendre.

Peu à peu, Kaylan retrouvait confiance. Son instinct de guerrier reprenait le dessus, il était à nouveau le chasseur, et non plus la proie.

Il dut combattre parfois, mais il n'affrontait pas de groupes importants, préférant les corps à corps rapides et les embuscades.

Certes, ce n'était pas là les nobles manières chantées par les ménestrels, mais elles étaient redoutablement efficaces. Il frappait le premier, sans s'annoncer.

Quand son amulette commençait à briller, il dissimulait sa torche dans un recoin des couloirs et prenait l'affût. Il se jetait sur son adversaire. Un coup suffisait, qui jetait sa victime à terre. Et l'Empereur-Mage s'éloignait sans plus attendre.

– Tenir, se répétait-il, aller toujours de l'avant.

Les mots revenaient, tel un leitmotiv. Il s'en enivrait, y puisait des forces nouvelles pour maintenir ce rythme forcené.

Il avait si peu de temps ! Pourtant, il lui fallait parfois s'adosser à une paroi pour reprendre souffle. Alors, il consultait les braises-lucioles, comparait leur éclat. Avaient-elles toujours la même luminosité, ne se fatiguaient-elles pas ? Il lui semblait que les minuscules créatures virevoltaient plus lentement… Il avait beau se répéter : « Ce n'est qu'un effet de ton imagination, tu angoisses, tout cela est parfaitement normal… », les mots ne le rassuraient guère. Mais il serrait les dents et repartait de plus belle.

C'était la course de sa vie, il en avait conscience. Et il entendait la disputer au mieux : il le devait à Sheelba, à son fils. À Arh'En Dal, et à son peuple aussi.

Kaylan n'écoutait plus sa peur, il restait insensible à la douleur et aux élancements qui lui vrillaient les muscles. Il n'était plus que rage et volonté.

Enfin, le sol se modifia sous ses pieds.

« Nous y sommes », songea-t-il. Il s'obligea à faire halte, dressa un bivouac sommaire et mangea quelques fruits secs, qu'il arrosa de vin clair. L'espoir renaissait peu à peu à mesure qu'il s'enfonçait dans les entrailles de la terre. Enfin, il se décida à repartir. Il s'étira, et sa voix s'éleva vers la voûte :

– La partie peut commencer !

Bientôt, il fut contraint de modifier son allure. Le sol pulsait comme un tissu vivant. Il était incertain, se dérobait parfois, et s'agitait de soubresauts qui obligeaient le guerrier à s'appuyer à la paroi la plus proche. « Je cours sur le dos du Dragon », se disait Kaylan en frissonnant.

Il s'imaginait, minuscule, bondissant d'une écaille à une autre, agaçant le monstre endormi, dont les muscles se contractaient sous ses pas…

« Allons, ne cède pas à la peur : le Dragon a façonné le monde à son image, c'est tout. Si les êtres sont pervertis à son contact, pourquoi la roche ne le serait-elle pas ? »

Mais cette théorie ne le satisfaisait pas, au contraire. « Si même la terre est devenue son alliée, songea-t-il amèrement, je dois m'attendre à tout… »

Une autre question jaillit : quelles créatures peuvent donc survivre ici ?

Il obtint un début de réponse alors qu'il atteignait une grotte aux parois recouvertes de plantes phosphorescentes.

Il s'accroupit en apercevant la lumière verdâtre aux abords du boyau qu'il avait emprunté. Il attendit quelques instants que ses yeux se soient accoutumés, et se redressa, l'épée à la main.

Le couloir rocheux tournait à angle droit pour déboucher dans la caverne.

Kaylan resta prudemment à l'abri et jeta un rapide coup d'œil à l'intérieur.

L'endroit était vaste, et l'Empereur-Mage ne parvint pas à distinguer la paroi opposée. D'impressionnantes stalactites jaillissaient du plafond, comme autant d'aiguilles de pierre attendant de transpercer l'imprudent aventurier en une pluie mortelle. Le sol, irrégulier, rappelait un champ de bataille. Deux ou trois colonnes de pierre montaient à l'assaut de la voûte. Elles avaient des dimensions de chênes centenaires. Une fine pellicule d'humidité les rendaient luisantes.

Kaylan fronça les sourcils : sous l'éclairage verdâtre, elles prenaient des allures de membres de géants ensevelis. Oui, c'était cela : la pierre avait l'apparence de la peau. Elle paraissait animée !

Il inspira puissamment et mit un pied dans la grotte, attentif au moindre frémissement.

Rien.

Il s'enhardit et s'avança à découvert.

Toujours rien.

Kaylan balaya les alentours du regard. D'autres colonnes verticales se dressaient plus loin.

Il n'y avait aucune sortie visible sur les côtés : il lui faudrait donc traverser l'espace découvert et inspecter l'autre extrémité de la grotte.

Il avança encore, prenant garde de ne pas glisser : çà et là, des fosses abruptes s'ouvraient dans le sol. On n'en distinguait pas le fond ; et les parois visqueuses ne devaient pas permettre qu'on en ressortît… si tant est qu'on survivât à la chute !

Il continua de progresser, dans un silence lourd, troublé seulement par le bruit des gouttes qui tombaient des stalactites et le chuintement de ses bottes sur le sol humide. Il régnait ici un sentiment de désolation totale.

Kaylan s'imaginait parcourant un champ de bataille, laissé par des mages qui se seraient livrés à un duel terrible, libérant les énergies de la terre…

À mi-parcours, il dut faire une pause : une nouvelle crevasse lui barrait la route. La fracture avait séparé les deux parties de la caverne. Elle courait d'un bord à l'autre, interdisant le passage. Au-delà, les colonnes se multipliaient et s'affinaient. C'était une forêt de pierre qui se dressait devant ses yeux.

Il plissa les paupières, incrédule : une source de lumière plus vive semblait en éclairer le centre. Ses reflets émeraude étaient fascinants…

La curiosité piquée au vif, Kaylan entreprit de longer la faille, dans l'espoir de trouver un endroit où les bords seraient assez proches. En calculant bien son élan, il devrait pouvoir la franchir d'un bond…

Il s'arrêta soudain, stupéfait : devant lui s'étendait un pont de singes. Les cordages se balançaient au-dessus du vide, reliant les deux bords.

Il les inspecta avec soin. Les câbles étaient recouverts de suif et arrimés à chaque paroi de la crevasse à l'aide de piquets d'acier profondément enchâssés. L'ensemble paraissait solide.

Kaylan jeta des regards méfiants autour de lui. Rien, toujours rien.

Alors, quel était ce sentiment de malaise qui l'envahissait depuis un moment ?

Il haussa les épaules. « Tu te fais des idées ! Franchis ce pont, et tu verras bien de l'autre côté… De toute façon, tu ne sais pas où tu vas : autant essayer ! »

Il rengaina son arme et saisit fermement les deux cordes qui servaient de garde-fous. Le pont tangua sous ses pieds et il s'appliqua à ne pas augmenter le roulis.

Il adressa une prière à la Lune sombre et s'engagea au-dessus de l'abîme.

– On ne bouge plus !

La voix avait retenti alors qu'il parvenait à mi-chemin. Interdit, Kaylan chercha à localiser son interlocuteur. Il vit avec stupéfaction le sol se soulever de part et d'autre de la crevasse : des hommes jaillissaient de tranchées, envoyant voler la boue dont ils s'étaient recouverts. L'Empereur-Mage grimaça : il s'était laissé piéger ! Les sentinelles s'étaient dissimulées sous des bâches, et l'observaient sans doute depuis longtemps !

Kaylan dut achever sa traversée sous la menace des javelots. Dès qu'il posa le pied sur l'autre bord, il fut cerné par une demi-douzaine d'hommes. Leurs visages étaient maculés d'une croûte de boue craquelée, et leurs cheveux agglutinés en mèches épaisses. Ils le surveillaient avec des mines farouches. L'un d'eux s'approcha avec méfiance et lui confisqua son épée. Kaylan ne se rebella pas ; toute résistance était inutile.

Celui qui paraissait être le chef de la petite troupe fit un pas en avant. Il brandissait un bâton, au bout duquel pendaient des crânes de petits animaux.

– Mon nom est Roksach, déclara-t-il, je suis le shaman de cette tribu. Nous sommes les sentinelles, et nous veillons à la sécurité des nôtres.

En parlant, il pointait du doigt la zone éclairée au milieu de la forêt de pierre. Kaylan leva les mains, paumes ouvertes.

– Vous n'êtes pas comme ceux que j'ai croisés jusqu'ici, dit-il.

Roksach releva la tête, méprisant :

– Nous sommes des hommes, pas ces monstres errant à travers les galeries ! Nous vivons libres ici, et nous défendons notre territoire. Et toi, qui es-tu ?

– Mon nom est Kaylan. Je viens de la surface, fit-il en désignant la voûte.

À ces mots, les rires éclatèrent de toutes parts. Les hommes se tapaient sur les cuisses sans aucune retenue. Roksach émit un cri guttural, qui rétablit aussitôt le silence. Il eut une moue hargneuse.

– Tu nous prends pour des idiots ! Personne ne peut venir de la surface ! Personne n'y vit…

Kaylan secoua la tête :

– Si, bien sûr. Nous sommes nombreux.

Il réfléchit une seconde avant d'ajouter :

– Il y a beaucoup de tribus, à la surface. Et je suis leur empereur.

Roksach renifla bruyamment, et pencha la tête de côté.

– Peut-être es-tu le guerrier de la prophétie…

Les hommes s'énervaient et grognaient.

– Tuons-le, s'exclama l'un d'eux. C'est un espion, Roksach. Il vient de l'autre côté…

Le shaman hésitait, dardant sur Kaylan un regard inquisiteur.

– S'il est bien celui qu'il dit, ce serait un grand malheur de le supprimer.

Roksach s'écarta pour palabrer avec ses hommes. Kaylan ne bougeait pas. Il attendait leur verdict.

Enfin, Roksach revint. Un large sourire illuminait son visage :

– Suis-nous.

Kaylan obtempéra sans discuter.

Ils l'entraînèrent à travers les colonnes de pierre, jusqu'à un village de tentes au milieu duquel brûlait un foyer aux surprenantes flammes vertes. À leur approche, des enfants et des femmes s'enfuirent en glapissant et se réfugièrent dans leurs habitations. C'étaient des abris sommaires, faits de bâches huilées, recouvertes de boue et accrochées au sommet de stalagmites.

Roksach désigna l'un d'eux.

– C'est ici ! Nous allons boire et interroger les esprits.

Ils pénétrèrent à l'intérieur et s'assirent à même le sol. Un brasero rougeoyait au centre de la tente.

Roksach y vida une petite sacoche qui pendait à sa ceinture et psalmodia une incantation. Un feu aux reflets verts s'éleva dans un silence quasi religieux. Les flammes ondulaient sans bruit et ne dégageaient aucune chaleur. « Encore un effet des profondeurs », songea Kaylan. Il se garda de tout commentaire et attendit patiemment qu'on daigne lui adresser la parole.

Roksach s'était emparé de deux gourdes. Il en tendit une à l'empereur :

– Tiens, buvons !

Il prit quelques gorgées, et Kaylan fit de même. Le breuvage n'était pas désagréable, quoiqu'un peu salé. Il n'était pas alcoolisé, et Kaylan s'en félicita. Il voulait rester lucide.

Il dévisagea un à un les hommes présents. Sous l'éclairage des flammes, il pouvait les détailler à loisir. En dépit de leurs visages de vieillards et de leurs cheveux blancs, ils étaient solidement bâtis. Kaylan pouvait voir les muscles saillants de leurs bras, leurs cuisses puissantes.

« La proximité du Dragon, nota-t-il mentalement. Ils souffrent des mêmes symptômes que moi. »

Roksach fit passer sa gourde, et chacun but à son tour. À chaque fois, on invitait Kaylan à faire de même, et il s'exécutait de bonne grâce.

Le shaman prit enfin la parole.

– Les hommes ne croient pas que tu puisses venir du dehors. La légende veut que les hommes de la surface aient la peau sombre, brûlée par le soleil.

Kaylan sursauta : au mot « soleil » les guerriers s'étaient couvert la tête des mains, et ils gémissaient.

– Leurs cheveux sont noirs, poursuivit Roksach,

comme ceux des créatures des souterrains que nous combattons…

La pantomime continuait : les hommes saisissaient leurs mèches et les caressaient en poussant des gémissements plaintifs.

– Mais tu es comme nous : ta peau est creusée, tes cheveux sont clairs !

Kaylan leva la main :

– Tu as raison, Roksach. Mes cheveux ont blanchi ainsi parce que je me suis aventuré dans les souterrains sans prendre de précautions. Ma peau s'est flétrie, mais elle était comme tu l'as dit.

Instinctivement, les hommes s'écartèrent de lui.

– Il ment ! cria l'un d'eux.

Un autre cracha au sol :

– Sacrilège ! Il refuse le Don !

– Un… Don ? s'étonna Kaylan.

Roksach bomba le torse.

– Le Don du Titan endormi, déclara-t-il solennellement. Le prix que nous payons tous pour vivre ici éternellement.

Kaylan n'en croyait pas ses oreilles.

– Tu veux dire que…

– Oui, reprit Roksach. Notre tribu vit ici depuis

que le Dragon a percé le ciel et s'est enfoncé sous la terre. Nous y avons vu un signe. Là-haut, tout n'était que chaos, et nous avons décidé de suivre le Titan. Depuis, nous nous sommes adaptés, et nous régnons sur ce territoire.

Il parlait avec fierté, des trémolos dans la voix :

– La prophétie dit qu'un jour un homme viendra, qui nous permettra de remonter.

– Je ne sais pas si je suis cet homme, mais vous pouvez rejoindre la surface dès aujourd'hui, affirma Kaylan. La vie est possible, là-haut. Elle est paisible. Vous n'aurez plus à combattre chaque jour pour survivre !

Roksach resta silencieux un long moment. Il paraissait soupeser chaque mot :

– Tu dois nous apporter la preuve de ce que tu es vraiment.

Kaylan hocha la tête :

– Soit.

Il écarta les pans de sa chemise, révélant son collier magique.

– Des amulettes de protection ! s'exclama le shaman, soudain admiratif. Je n'en avais pas vu depuis longtemps !

Kaylan sourit :

– Elles m'ont été offertes par ma femme, expliqua-t-il. Elles s'illuminent à l'approche de créatures du chaos !

Le shaman hocha la tête.

– Très pratique, reconnut-il. Voilà un objet dont tu peux être fier.

Il trinqua à nouveau avec Kaylan.

– Peut-être es-tu finalement celui que tu prétends. Ce serait une grande nouvelle !

Roksach fouilla dans une bourse de cuir et en sortit une fiole. Il prit une coupe de terre et y versa la préparation.

– Tiens, dit-il à Kaylan. Scellons notre amitié !

La mixture était âcre, elle irritait la gorge, mais Kaylan se força à tout boire. Il ne voulait pas froisser ses hôtes : il était sur le point de gagner la partie. Avec un peu de chance, ils accepteraient de le guider jusqu'aux limites de leurs terres, et lui feraient gagner un temps précieux !

Confiant, il se détendit.

La fatigue se faisait sentir, et la tête lui tournait un peu.

On lui rendit son arme, on le congratula.

– Je vais avoir besoin de vous, avant de vous mener à l'extérieur…

– Tout ce que tu voudras, Empereur !

Ils échangèrent encore quelques phrases. Roksach voulait tout savoir de lui, et l'interrogeait sans retenue.

Kaylan répondait de bonne grâce, mais les mots finirent par s'embrouiller sur sa langue. La voix de Roksach lui provenait déformée, maintenant.

– Je suis épuisé, avoua Kaylan. Mais il va falloir repartir.

Il se leva, mais ses jambes se dérobèrent sous lui. Il dut se retenir à la bâche :

– Que m'arrive-t-il ?

Roksach eut un geste d'insouciance :

– Pas de panique ! C'est notre vin, tu n'y es pas habitué.

Kaylan secoua la tête, son malaise ne fit qu'augmenter :

– Qu'est-ce que vous m'avez…

Il ne put poursuivre sa phrase. Les sons refusaient de jaillir de sa gorge, ses lèvres étaient sèches. Des bulles sombres éclatèrent devant ses yeux, et tout se mit à danser autour de lui.

Roksach riait à présent :

– Ah ! Voilà que l'Empereur-Mage nous quitte !

Les hommes s'esclaffèrent bruyamment et lancèrent des commentaires amusés.

Kaylan n'entendait plus que des bribes de phrases. « Ils m'ont drogué », pensa-t-il avec effroi. Il chercha la poignée de son épée et dégaina... mais ses forces l'abandonnaient. Il laissa choir son arme et mit un genou en terre.

Sa tête était lourde, elle retombait sur sa poitrine. Il essayait de résister à l'envie de s'allonger là, aux pieds des hommes qui le cernaient.

Le rire de Roksach lui parvint encore, déformé. Il ricochait dans le cerveau de Kaylan.

– Eh oui ! Tu as été drogué !

Kaylan battait des cils, incapable de répondre. Il s'affala en arrière, bras en croix. Il était à leur merci. Il vit le shaman se pencher au-dessus de lui, hilare. Il sentit ses doigts se crisper autour de son collier et le lui arracher.

Roksach lui présenta son trophée, le balançant comme un colifichet enfantin.

– Bel objet, déclara-t-il, mais inutile avec nous : nous ne sommes pas des créatures du chaos...

Même si nous le servons à l'occasion ! Crois-tu qu'on puisse survivre aussi longtemps dans les souterrains sans conclure quelques alliances ?

Il explosa de rire, aussitôt imité par ses hommes.

Le bruit envahit le cerveau de Kaylan en échos déments.

L'Empereur-Mage se noyait dans un tourbillon de bruits et d'images dansantes.

Il grimaça de douleur, ferma les yeux…

Ce fut l'obscurité soudain.

Et le silence.

9

– Tu crois qu'il est vivant ?

– Pour sûr : il respire. Il est costaud, le gars !

Kaylan ne percevaient que des bribes de phrases. Il ne trouvait pas la force d'ouvrir les yeux. Depuis un certain temps, des voix étouffées lui parvenaient. Autour de lui, il devinait des mouvements furtifs, des bruits de chaînes. Il avait du mal à se concentrer plus d'une poignée de secondes. Ces efforts lui coûtaient, et il sombrait aussitôt dans une hébétude extatique. Il entendait des raclements, des gémissements aussi, mais n'aurait pu jurer qu'il ne s'agissait pas d'un caprice de son imagination.

Enfin, Kaylan parvint à se redresser. Il s'assit en tailleur, tête basse, tempes bourdonnantes. Il avait la bouche pâteuse, un goût de pourriture sur les lèvres.

Des souvenirs diffus lui revinrent en mémoire : Roksach, la tribu de la forêt de pierre, la boisson…

Quel imbécile ! Il s'était laissé berner comme un enfant !

Une voix retentit quelque part sur sa gauche :

– Eh ! Le v'là qui se réveille !

Une main se posa sur son épaule. Kaylan entrouvrit les paupières. Il pouvait voir des ongles longs et crasseux, des phalanges tordues…

– Ça va, mon gars ? Pas trop secoué ?

Le guerrier leva la tête. Deux torches moribondes éclairaient faiblement l'endroit. Leur halo fut suffisant pour l'éblouir ; Kaylan grimaça.

– C'est rien, poursuivit la voix. Tu vas t'y faire.

L'Empereur-Mage resta ainsi un long moment, incapable d'esquisser le moindre mouvement. La drogue circulait encore dans ses veines, et il savait devoir s'armer de patience.

La voix lui parlait en un monologue entêtant. La main revint, et lui présenta une bouillie incolore et fade, qu'il avala sans discuter. Puis elle lui présenta une écuelle remplie d'eau croupie. Kaylan lapa ce liquide saumâtre. Il lui fallait retrouver des forces, on verrait bien ensuite.

Il distingua une forme accroupie face à lui, en contre-jour.

– Depuis combien de temps suis-je arrivé ?

L'autre haussa les épaules :

– Tu sais, le temps, ici… Je ne saurais te le dire !

Kaylan passa la main le long de sa cuisse et sursauta.

– Mes braises-lucioles ! s'écria-t-il.

Il chercha autour de lui, mais ne les trouva pas. On l'avait dépouillé de ses vêtements ; il portait juste un pagne sale et une paire de bottes usagées.

– On t'a mis ce qui nous restait, s'excusa son compagnon.

La colère insufflait une vitalité nouvelle à l'Empereur-Mage. Il attrapa fermement son vis-à-vis par l'épaule :

– Mes affaires ! Où sont-elles ?

– Si tu veux parler de tes armes, bredouilla l'homme, mieux vaut les oublier. Elles ont été confisquées par les gardes quand tu as été conduit ici. Pour le reste…

Il désigna du menton une extrémité de la geôle, plongée dans l'obscurité.

– Il faudra voir avec Toldo…

Kaylan fronça les sourcils. Il se remit debout, vacilla, et partit dans cette direction, sous les murmures réprobateurs des autres détenus. L'homme tenta de le retenir :

– Laisse tomber, l'ami. Ça n'en vaut pas la peine…

Kaylan considéra la main crispée sur son bras, puis fixa celui qui l'avait accosté. Il y avait tant de haine et de détermination dans ses prunelles que l'homme bafouilla des excuses et recula dans la pénombre.

Kaylan reprit sa progression. Le sol de la prison était gras, les murs lépreux dégoulinaient d'humidité. Des remugles écœurants envahissaient les lieux.

À mesure qu'il avançait, ses yeux s'accoutumaient à l'éclairage défaillant. Il était dans une geôle taillée dans la pierre, une caverne aménagée. Là-bas, une silhouette massive était étendue.

Kaylan soupira en se postant face à un colosse qui ronflait sur l'unique natte disponible dans la pièce.

– Toldo ?

Pas de réponse. Il fit un pas de plus et décocha un petit coup de pied dans le flanc du géant, qui tressaillit et grogna. Dans le dos de Kaylan, des cris de stupeur avaient ponctué son action.

Avec une lenteur calculée, Toldo s'assit. Il s'étira, faisant jouer sa musculature luisante, puis se mit sur pied. Il possédait une carrure exceptionnelle et dépassait Kaylan d'une bonne tête. Il devait se tenir légèrement courbé pour ne pas heurter le plafond :

– Un problème, le nouveau ?

Sa voix était grasseyante. Il sourit, dévoilant un râtelier de dents gâtées et exhalant une haleine putride. Ses yeux étaient injectés de sang.

– Il va falloir t'apprendre les usages d'ici…, ajouta-t-il sur un ton menaçant.

Aussitôt, il lança son poing en direction du visage de Kaylan.

– Trop lent ! s'écria le guerrier en évitant le coup.

Dans le même mouvement, il avait plongé sous la garde de son adversaire et lui avait décoché deux violents crochets au ventre.

Toldo encaissa en ahanant.

– Tu veux la guerre ? Tu vas l'avoir !

Il rugit de colère et tenta de saisir Kaylan à bras-le-corps.

Ce dernier bondit de côté.

– Trop lourd !

Il fouetta l'air du pied, touchant Toldo au foie. Le géant hoqueta de douleur et porta une main à son côté.

Kaylan lui attrapa l'autre bras et lui imprima un mouvement de torsion. Toldo partit rouler en avant, heurta la muraille et resta allongé, inerte.

– Trop lourd…, épilogua Kaylan.

Les autres prisonniers étaient abasourdis :

– Tu… tu as battu Toldo !

Les hommes étaient partagés entre la surprise et l'admiration. Ils s'approchaient de Kaylan, n'osaient y croire. Certains lui tapaient sur l'épaule, d'autres restaient respectueusement à distance.

Quand Toldo reprit connaissance, chacun s'éloigna précipitamment. On craignait plus que tout la colère du colosse. Celui-ci s'assit et jeta des regards furieux alentour.

– Où es-tu, petit homme ? éructa-t-il.

Kaylan se plaça en face de lui :

– Je suis là, Toldo.

Il n'y avait aucune bravade dans sa voix. Kaylan était sur ses gardes, prêt à réagir.

Toldo sembla hésiter, puis renversa la tête et partit d'un rire tonitruant :

– Ha ! Bravo, petit homme ! C'est la première fois que Toldo trouve son maître !

Kaylan se joignit à lui. Il tendit la main au géant et l'aida à se relever.

– Viens, lui dit celui-ci, tu peux récupérer tes affaires.

Kaylan l'accompagnait, quand une voix retentit dans son dos :

– Je vois que Sa Majesté a fait connaissance avec ses compagnons d'infortune !

Kaylan se figea ; il avait reconnu Roksach.

Le shaman était venu le narguer aux barreaux de la prison.

Kaylan résista à l'envie de se jeter contre la grille et d'étrangler le shaman qui l'avait berné. Il resta impassible et s'approcha lentement de lui. Roksach ricana, se tenant prudemment en retrait.

– Je suis venu t'expliquer ce qui vous attend, commença-t-il sur un ton mielleux.

Chacun s'était tu. L'excitation du combat avait fait place à l'angoisse.

Roksach se délecta de cette situation.

– Ma tribu s'est mise au service des Rackshas, poursuivit-il, affable. Ce sont des… comment dire ?

– Je sais ! balbutia l'un des prisonniers d'une voix étranglée. Ce sont des vampires !

Le visage de Roksach s'illumina :

– Oui, l'ami ! Je vois que tu es bien renseigné ! En effet, il s'agit de vampires. Autrefois, nos deux tribus s'opposaient en de vains combats, qui nous épuisaient tous. Mais depuis quelque temps nous avons résolu de vivre en bonne intelligence… Le marché est simple : nous les pourvoyons en chair fraîche, et ils nous considèrent comme des alliés !

Kaylan serra les poings sur les barreaux :

– Tu veux dire que… tu nous as livrés à ces monstres ?

Il ne voulait pas y croire. Tous ces hommes allaient être, comme lui, les victimes de vampires !

Roksach secoua la tête :

– Oui, tout à fait ! Mais rassurez-vous : vous ne serez pas tous exécutés et présentés comme festin !

Un murmure s'éleva dans le dos de Kaylan. L'espoir renaissait parmi les prisonniers. Que fallait-il faire ? Quel sort réservait-on à ceux qui ne seraient pas tués ?

Roksach s'amusait follement. Il laissait courir ses yeux de l'un à l'autre, une lueur de folie dans la prunelle. La détresse de ces hommes était pour lui un plaisir inégalable. Kaylan le haït de toutes ses forces à ce moment-là.

– Approchez-vous, souffla le shaman avec des airs de conspirateur. Plus près, allons…

Les prisonniers se pressèrent contre les barreaux. Chacun voulait savoir, découvrir le moyen d'échapper au massacre.

Roksach eut un sourire grimaçant :

– D'ici quelques heures, vous serez conduits dans une arène, devant les dignitaires de la tribu Rackshas. Là, on vous rendra vos armes…

Il se tut avec une mimique ravie. Il leur laissait le soin de deviner l'horreur de la situation. Kaylan blêmit. Il avait compris le premier.

– Des arènes, murmura-t-il. Un combat…

Autour de lui, des gémissements se firent entendre. Les hommes cédaient à la peur, s'écartaient les uns des autres, se jetant des regards scrutateurs. Ils évaluaient leurs chances de survie…

– Oui ! s'exclama Roksach, au comble de l'excitation. L'empereur a trouvé ! Et cela devrait lui rappeler de bons souvenirs !

Kaylan serra les mâchoires. Il croyait ne jamais avoir à revivre l'Épreuve, avec son cortège d'images douloureuses…

– Il faudra vous battre, poursuivait Roksach en gesticulant. Les Rackshas aiment le spectacle de qualité ! Il faudra tout donner pour vivre encore un peu !

– Encore un peu ? reprit Kaylan, livide.

Roksach confirma :

– Oui ! Seuls les meilleurs d'entre vous auront gagné le droit… d'être torturés lors de la fête !

C'en était trop pour Kaylan. Avec un rugissement, il se jeta contre les barreaux et tendit les bras en direction de Roksach. Le shaman glapit de surprise, mais ne fut pas assez rapide pour éviter l'attaque. Kaylan le saisit par les cheveux, et le ramena vers lui. Il lui glissa les bras autour de la gorge et le pressa contre la grille.

– Tu ne seras pas là pour jouir du spectacle !

Roksach râlait et se débattait sans parvenir à se libérer. Kaylan continua de serrer, insensible à ses plaintes. Un craquement se fit entendre et le shaman fut secoué de tremblements convulsifs.

Il se détendit soudain et ne bougea plus. Kaylan relâcha la dépouille et se laissa glisser au sol.

La rage l'avait aveuglé, il peinait à reprendre haleine ; le sang battait à ses tempes et il soufflait comme une forge.

– Tu n'assisteras pas à notre mort, répéta-t-il d'une voix blanche.

Kaylan refusait d'accepter son sort : périr dans quelques heures, sacrifié par un peuple de vampires souterrains, trahi par des humains félons…

Le visage de Sheelba lui apparut, et il ferma les yeux pour ne pas pleurer.

– Pardon, murmura-t-il, pardon, mon amour. Je n'ai pas su me montrer digne de ta confiance…

Alors que le désespoir l'envahissait, un grincement retentit de l'autre côté de la grille.

Kaylan releva la tête et devina une présence dans l'ombre du couloir. À nouveau le bruit lui parvint, et le guerrier réalisa qu'il s'agissait d'un rire : c'était un hoquet grinçant, métallique, plus proche de la plainte que du cri de joie.

– Qui va là ? lança Kaylan avec morgue. Allons, montrez-vous !

Il caressa les barreaux de la grille avant d'ajouter doucement :

– Vous n'avez rien à craindre…

Des applaudissements saluèrent sa dernière phrase. Un curieux personnage quitta l'obscurité pour entrer dans l'éclairage des flambeaux. Kaylan frissonna : une créature humanoïde de haute taille se dressait devant lui. Sa peau translucide laissait deviner les os et les muscles de son visage. Ses lèvres s'ouvraient sur un rictus gourmand, laissant apparaître des dents acérées.

– Qui… qui êtes-vous ? balbutia Kaylan.

Le monstre se fendit d'une large révérence.

– Silhoss, prince régnant, répondit-il.

Il parlait d'une voix de crécelle, qui sonnait comme si ses cordes vocales étaient d'acier rouillé.

Kaylan le détailla : le vampire était vêtu d'un long manteau pourpre doublé de noir, qui couvrait une toge sombre. Il arborait de somptueux bijoux d'ambre et de jade, qui accrochaient les rayons de lumière. Ses mains longues et fines étaient elles aussi translucides. Ses doigts se prolongeaient par de terribles griffes luisantes. « Des serres d'oiseau de proie », pensa Kaylan.

Silhoss s'approcha lentement de la grille.

Kaylan aperçut furtivement le pommeau d'un cimeterre qui pendait à sa ceinture. Le vampire surprit son regard.

– N'y pensez même pas, déclara-t-il, hautain. Nous ne sommes pas humains. Nous sommes plus vifs, plus forts… et tellement moins stupides ! C'est parce que nous les surpassions que la tribu de la forêt de pierre est entrée à notre service. Et je dois admettre qu'elle s'acquitte de sa tâche avec zèle et efficacité. Ses membres faisaient de piètres guerriers, et nous offraient un pauvre spectacle. Au contraire, les prisonniers qu'elle nous amène aujourd'hui combattent, eux, avec l'énergie du désespoir. Leurs performances en sont d'autant plus intéressantes.

Kaylan n'en croyait pas ses oreilles : le monstre les traitait comme un vulgaire gibier...

Silhoss jeta un regard méprisant sur la dépouille du shaman :

– Vous m'avez débarrassé de ce cloporte de Roksach, c'est bien. Sans son shaman, la tribu sera encore plus soumise...

Le vampire darda un regard intrigué sur Kaylan :

– Il m'avait avoué que vous étiez une espèce de... rival ?

Il semblait beaucoup s'amuser de cette idée, et éclata de rire. Kaylan nota que ses pupilles étaient celles d'un reptile : de simples fentes noires, traversant des globes oculaires vitreux.

– Je suis l'Empereur-Mage de Selenæ, déclara Kaylan solennellement. Je règne sur la surface.

Silhoss s'interrompit et considéra son interlocuteur avec surprise :

– Vous... régniez, rectifia-t-il. Et bientôt vous mourrez.

Il s'approcha jusqu'à effleurer la grille.

– Je me ferai un plaisir de manger votre tête et boire votre sang, par respect pour votre rang.

Il fit demi-tour et repartit dans le noir.

Il fut remplacé par deux gardes vampires, armés eux aussi de cimeterres effilés.

Kaylan recula au fond de la geôle.

Les hommes restaient silencieux. Abattus, la plupart n'osaient même pas croiser les regards des autres. Chacun se morfondait, broyant des idées funestes. On attendait le moment du combat, on se perdait en conjectures : quels seraient les critères de choix, qui serait exécuté, quand ?

La peur montait, elle devenait palpable. Les respirations s'alourdissaient, une odeur de sueur âcre envahissait les lieux.

Kaylan traversa la pièce et se laissa tomber à côté de Toldo. Le colosse fulminait :

– Qu'on me donne une arme, et je mourrai en homme ! La Malemort emporte ce pantin, et tout son peuple des abysses !

– Tu es fou, Toldo, s'écria quelqu'un. S'il t'entendait…

– Oui, reprit une autre voix, profitons du temps qui nous reste à vivre ! Ne les provoquons pas !

Des protestations s'élevèrent de tous côtés. Les uns apportaient leur soutien à Toldo, les autres le suppliaient de se taire.

Le géant se leva :

– Assez gémi ! tonna-t-il. Un empereur est parmi nous.

Il se tourna vers Kaylan, resté silencieux jusque-là :

– Parle donc, toi qui m'as vaincu et m'as tendu la main.

– Il faut accepter, répondit Kaylan. Et combattre jusqu'au bout. Tant que nous sommes en vie, nous pouvons espérer…

– Bien parlé, reprit Toldo, je suis ton homme ! Que proposes-tu ?

Des plaintes montaient dans le silence, des pleurs se faisaient entendre. Plusieurs hommes se désolidarisèrent, se regroupant à l'opposé de la salle. Une dizaine se joignirent à Toldo et Kaylan.

Ce dernier attendit patiemment que le silence retombe avant de poursuivre :

– Vous êtes venus dans les souterrains pour des raisons que je ne chercherai pas à connaître. Je sais seulement que nous en sortirons ensemble, ou nous mourrons ensemble. Les vampires comptent nous soumettre à une parodie des épreuves anciennes, ils singent le mode de sélection des Empereurs-Mages. Laissons-les croire que nous nous plions à leur volonté. Portons-nous volontaires pour l'arène. Quand nous aurons récupéré nos armes, voilà ce que nous allons faire…

10

L'attente fut insoutenable. Certains prisonniers, cédant à l'angoisse, pleuraient en silence ou entraient dans une rage folle. Ils hurlaient, se débattaient avant de retomber dans un état de prostration totale. Kaylan et quelques autres s'étaient isolés comme ils le pouvaient. Les uns se reposaient, d'autres se voilaient le visage de leurs mains. Les respirations lourdes résonnaient dans l'espace confiné de la geôle.

Enfin, des gardes hybrides se présentèrent à la grille. Ils étaient caparaçonnés d'armures d'acier et brandissaient des cimeterres. Leurs visages et leurs mains translucides trahissaient leur appartenance au peuple de Silhoss. Toldo cracha sur le sol et détourna la tête. Les vampires avaient des allures d'écorchés qui le répugnaient.

Ils ouvrirent les grilles, et deux d'entre eux entrèrent. Aussitôt, quelques prisonniers se roulèrent à leurs pieds, implorant la pitié. Insensibles à leurs suppliques, les vampires levèrent leurs armes et tranchèrent les têtes des malheureux.

Le silence retomba sur la prison.

– D'autres volontaires pour l'exécution ? railla l'un des gardes.

Kaylan réprima un mouvement de révolte. Ce n'était pas le moment, il fallait attendre encore.

On les fit lever, et on les conduisit sans ménagement à travers un dédale de couloirs.

En passant à côté des deux bourreaux, Kaylan les foudroya du regard. Les vampires s'esclaffèrent.

– En voilà un qui semble motivé, s'écria le premier, espérons que le spectacle sera à la hauteur de nos attentes !

– Encore faut-il qu'il sache se servir d'une arme, renchérit le second. Il paraît bien vieux pour résister longtemps…

Kaylan ravala sa honte et sa rage. Ses cheveux laiteux et ses rides n'étaient pas ceux d'un Empereur-Mage en pleine possession de ses moyens.

Ainsi, il se présentait comme un monarque usé, flétri…

Il suivit les autres prisonniers jusqu'à une petite grotte circulaire, où on les aligna contre une paroi. En face d'eux, une grille baissée laissait entrevoir l'enceinte d'une arène.

Au milieu de l'étendue grisâtre on avait disposé une série de billots de bois, dans lesquels étaient fichées des armes de toutes sortes. Des épées à double tranchant, des lances, des tridents…

Toldo avait l'œil du combattant aguerri.

– Des armes en mauvais état, souffla-t-il à Kaylan, probablement récupérées sur les cadavres des aventuriers, au fond des souterrains. Beaucoup semblent rouillées. Il faudra choisir avec soin.

Il fut interrompu par un cri guttural. Un des geôliers se planta devant eux, les poings sur les hanches.

– Les règles sont simples, aboya-t-il d'une voix rocailleuse. Quand la grille se lèvera, il faudra courir à travers l'arène et vous saisir d'une arme. Tous ceux qui refuseront d'entrer dans l'arène seront exécutés ici.

Un frisson d'horreur parcourut l'assistance.

– Les seuls adversaires que vous devrez affronter… sont ici, fit-il avec un geste circulaire.

Sa déclaration les pétrifia. Plus personne n'osait dévisager son voisin. Ils avaient cru devoir combattre un monstre, faire front commun… et ils allaient devoir s'entre-tuer !

– Ce n'est pas possible, s'écria un des prisonniers, vous ne pouvez pas nous y obliger !

Le garde eut un sourire cruel. Sans daigner répondre, il poursuivit sur le même ton :

– Avis à tous ceux qui refuseraient le combat, ou traîneraient la jambe : il n'y a pas assez d'armes pour vous tous. Seuls les plus rapides auront une chance d'assurer leur survie !

N'y tenant plus, l'un des prisonniers sortit du rang :

– À quoi bon combattre ? Nous mourrons de toute façon !

Le vampire hocha la tête.

– Tu as raison, dit-il d'une voix doucereuse. Autant en finir tout de suite…

D'un geste vif et précis, il pourfendit sa victime, qui s'effondra sans une plainte.

Toldo gronda de rage :

– Vous avez compris la leçon, vous autres ? Mourez comme des hommes, les armes à la main, ou laissez-vous abattre comme des chiens !

Le garde, surpris par son intervention, parut hésiter. « Il va le tuer… », songea Kaylan amèrement. Mais le vampire finit par dire :

– Bien ! Toi, au moins, tu vivras plus longtemps que les autres…

Toldo baissa la tête, ignorant le sarcasme.

Le garde donna l'ordre d'ouvrir la grille.

– Allez-y, tonna-t-il, et souvenez-vous : notre prince veut du spectacle !

Avec des cris de haine mêlée de désespoir, les hommes s'élancèrent dans l'arène.

Kaylan et Toldo parvinrent les premiers aux armes. Ils choisirent des épées aux lames brillantes en priant pour ne pas se tromper… Quelques-uns de leurs compagnons restaient interdits, incapables de choisir.

D'autres se jetèrent sur les rares boucliers qui jonchaient le sol et s'écartèrent aussitôt, dans l'attente d'un éventuel assaut.

Quelques prisonniers, basculant dans la folie, saisirent des cimeterres et des tridents et les firent tournoyer au hasard.

Kaylan traversa l'arène au pas de charge pour se retrancher de l'autre côté.

Ce faisant, il évalua la situation d'un coup d'œil circulaire.

Silhoss était là, qui trônait au milieu d'une poignée de seigneurs vampires. Leurs costumes de dignitaires, faits d'étoffes pourpres, les distinguaient des autres monstres présents sur les gradins. Kaylan évalua le nombre des vampires combattants à une vingtaine : des archers, postés de part et d'autre de l'enceinte, et quelques bretteurs, au garde-à-vous de chaque côté de l'estrade princière.

L'Empereur-Mage reporta son attention sur le champ de bataille.

Quelques hommes combattaient, vociférant, roulant dans la poussière. Le sang rougissait déjà le sol, dessinant des étoiles éparses.

Pour le moment, les vampires se désintéressaient de Kaylan. Ils semblaient se délecter du spectacle de ces hommes avilis, brisés, qui s'entre-tuaient en hurlant, dans le fol espoir de prolonger un peu leur vie…

Toldo, à la tête d'une dizaine de prisonniers, repoussaient les assauts des forcenés. Le petit groupe parvint à traverser l'arène sans pertes et rejoignit Kaylan. Là, le géant se posta devant l'Empereur-Mage dans une attitude martiale.

– Cette fois, cria-t-il, tu ne m'auras pas par surprise !

Il se mit en garde, et Kaylan leva lui aussi son arme.

Ils furent imités par leurs compagnons, et échangèrent des passes d'armes. Les lames s'entrechoquaient, faisant voler des gerbes d'étincelles. Certaines se brisaient net, d'autres s'ébréchaient…

Tout le monde bataillait à présent, pour le plus grand plaisir des monstres.

Visiblement satisfait, Silhoss laissait divaguer son regard, un sourire carnassier sur les lèvres.

Kaylan serrait les dents et s'appliquait à repousser les attaques furieuses du colosse. « Tenir, se répétait-il, tenir encore. » Les yeux fous, Toldo frappait sans répit, contraignant Kaylan à reculer.

Ce dernier esquivait, bondissait, déviait l'arme de son adversaire à grand renfort de passes savantes.

Inexorablement, le groupe des combattants se déplaçait le long de l'arène. Leur ballet de mort les entraîna jusqu'au pied de l'estrade princière.

Kaylan effectua une brusque volte-face, sans plus prêter attention à Toldo.

– Maintenant ! hurla-t-il.

C'était le signal attendu.

Toldo glissa son épée dans sa ceinture et se jeta contre la paroi de l'arène, nouant ses mains devant son ventre.

Un à un, ses compagnons prenaient appui sur cette providentielle courte échelle et franchissaient l'enceinte.

– Dépêchez-vous ! hurla le colosse. Les archers vont intervenir !

Comme pour confirmer ses dires, une pluie de flèches s'abattit sur les lieux. Les archers hésitaient pourtant, craignant d'atteindre leur prince, et leurs traits s'enfonçaient pour la plupart dans le sol, à quelques pas des rebelles. Toldo hurla quand deux pointes d'acier l'atteignirent à la cuisse et au flanc. Le visage congestionné, il résista à la douleur.

– Allez ! Allez ! râla-t-il.

Kaylan fut le premier à jaillir hors de l'arène. Trois gardes en armure se jetèrent sur lui. Il cueillit le premier d'un mouvement sec du poignet. La pointe de son épée passa en un éclair sur la gorge de son adversaire, qui hoqueta et lâcha ses armes pour porter les mains à son cou. Un flot carmin s'en échappait, qu'il ne parvenait pas à endiguer.

Le deuxième réagit aussitôt, mais Kaylan para son attaque. Il accompagna la charge d'une rotation du buste, et lui porta un violent coup de reins. Le monstre bascula dans le vide, sous les cris de joie des gladiateurs, dont la meute se referma aussitôt sur sa dépouille.

Le troisième adversaire hésitait, surpris par une telle détermination. Cet instant d'immobilité lui fut fatal : Kaylan projeta son glaive en avant, le frappant sèchement au visage.

La première vague de révoltés avait pris pied derrière l'Empereur-Mage et se ruait sur les dignitaires. Ceux-ci, empêtrés dans leurs costumes d'apparat, crachaient et sifflaient sans parvenir à opposer de résistance.

– Qu'on aide Toldo à sortir de la fosse ! ordonna Kaylan avant de se jeter dans la mêlée à son tour.

Il bondit par-dessus quelques cadavres de vampires et se trouva face à Silhoss. Le prince monstrueux l'attendait, cimeterre en main.

– Je savais que tu m'offrirais un spectacle inoubliable, fit-il, admiratif. Mais celui-ci dépasse toutes mes espérances !

Son sourire se mua en rictus haineux, et Silhoss plongea sur Kaylan.

Ils luttèrent un moment, rendant coup pour coup, rivalisant d'adresse et de ruse. Mais les forces de Kaylan étaient décuplées par la rage. Il finit par désarmer son adversaire, envoyant voler son cimeterre dans les airs.

Silhoss recula, mais perdit l'équilibre en heurtant un cadavre et tomba en arrière.

Kaylan lui plaça la pointe de l'épée sous le menton :

– Fais cesser ce combat ou meurs !

Le prince vampire le foudroya du regard, et parut hésiter. Puis, à regret, il lança un cri inarticulé.

Aussitôt, les vampires se figèrent.

Les monstres survivants se regardaient, abasourdis, incapables d'accepter la situation : comment une poignée d'hommes avaient-ils pu les vaincre ? Ne régnaient-ils pas sur ces territoires depuis une éternité ?

On les désarma, et on les attacha sans ménagement. Puis on distribua les armes des monstres aux rebelles survivants. Ainsi équipés, les compagnons de Kaylan ressemblaient à quelque groupe de mercenaires au service de l'Empereur-Mage.

Toldo rejoignit Kaylan. Le colosse était encore à moitié nu, le torse maculé de sang. Il rassura l'empereur en avisant sa mine soucieuse :

– Ne crains rien : c'est celui de mes adversaires !

En raison de sa taille, le colosse n'avait pu trouver armure à sa mesure. Il brandissait par contre un énorme trident.

– Va-t-on les exécuter tout de suite ? demanda-t-il à Kaylan.

Ce dernier secoua la tête :

– Non, Toldo. J'ai besoin d'eux.

À ces mots, Silhoss fronça les sourcils, intrigué.

– Je n'avais jamais vu un humain demander notre aide ! railla-t-il.

Kaylan accentua la pression de son épée sur la gorge du vampire.

– Conduis-moi à Shaar-Lun ! hurla-t-il. Je veux le voir, maintenant !

Silhoss écarquilla les yeux et resta muet quelques secondes.

Puis il renversa la tête en arrière et éclata d'un rire dément.

11

L'hilarité du prince des vampires glaça Kaylan : Silhoss riait à gorge déployée, indifférent à la lame pointée sur son cou.

L'Empereur-Mage contemplait son adversaire sans trouver d'explication à son comportement. Silhoss était-il fou ? Le provoquait-il dans l'espoir que Kaylan perdrait son contrôle et le tuerait ? Cherchait-il à gagner du temps ?

Le monstre finit par se calmer. Il essuya d'un revers de main les larmes qui coulaient de ses yeux.

– Ah ! soupira-t-il. Voilà bien longtemps que je n'avais ri de si bon cœur ! Tu es décidément un humain passionnant...

Kaylan brûlait d'envie de le gifler, de le forcer à répondre. Il enrageait de lire une joie malsaine sur le visage du vampire. Il aurait tout donné pour effacer ce rictus satisfait, presque reconnaissant.

Silhoss retrouva sa froideur et plongea dans les yeux de Kaylan son regard hypnotique.

– Tu veux rencontrer Shaar-Lun… En voilà une idée ! Sais-tu seulement de qui tu parles ?

Kaylan hocha la tête :

– Oui. Je veux retrouver celui qui a enlevé mon fils, celui qui se fait appeler Maître des souterrains ! Je veux tuer celui qui se disait mon ami, pour l'empêcher d'accomplir son dessein !

Il avait crié ces mots, et il s'en voulut aussitôt. Silhoss l'observait avec une lueur d'intérêt dans la prunelle. Il jaugeait Kaylan comme un joueur d'échecs évalue son adversaire.

– Tu ne sais donc pas ! murmura-t-il. Tu ne sais rien, tu avances à l'aveuglette…

– Quoi ? hurla Kaylan. Que suis-je censé savoir ?

Il frappa Silhoss au visage.

Le vampire accusa le choc en râlant. Il se passa lentement la main sur la joue. Mais la colère de l'Empereur-Mage, loin de l'impressionner, semblait au contraire augmenter son plaisir.

– Shaar-Lun n'est pas le maître des souterrains, dit-il enfin. Il est bien plus que cela. Il règne sur le royaume-d'en-bas.

Kaylan secoua la tête. Il aurait voulu en finir, mais il devait écouter patiemment le monstre qui lui distillait les informations en savourant son avantage. Silhoss, goguenard, entrecoupait ses déclarations de longues plages de silence.

– Shaar-Lun a atteint le repère du Dragon, avoua-t-il. Il sait pouvoir réveiller le Titan. Il a ouvert la porte des Ténèbres, il a libéré l'esprit du Mal ! Plus personne ne peut l'arrêter, et surtout pas toi, Kaylan-le-fanfaron !

Une chape de plomb s'était abattue sur les épaules de l'Empereur-Mage. Il se sentait vieux, inutile, incapable de vaincre. Il abaissa sa garde et considéra le vampire sans savoir quelle attitude adopter.

– Mon territoire s'étend jusqu'au Dragon, poursuivit Silhoss. Mais personne ne se risque jamais à la frontière. Même notre peuple ne s'y aventure pas. L'influence du Titan y est trop forte. Les Ténèbres y ont élu domicile. Pénétrer dans ce royaume, c'est s'y soumettre, se vouer corps et âme aux forces qui le dirigent. Et je tiens trop à ma liberté pour m'y résoudre.

– Comment atteindre Shaar-Lun, alors ? balbutia Kaylan.

Silhoss sourit de plus belle :

– Il n'y a aucun moyen de l'atteindre : le Maître ne remonte plus à la surface, il n'en a plus besoin ! Il s'est voué aux Ténèbres et vit désormais dans le ventre du Dragon !

La nouvelle pétrifia Kaylan : en s'aventurant sur le territoire des vampires, il croyait avoir atteint son but, et sa déconvenue n'en était que plus cruelle. Il ne s'agissait là que de l'antichambre des Enfers !

– Tu viens de comprendre ! se réjouissait Silhoss. Tu sais ce qu'il te reste à faire si tu veux récupérer ton fils ! Tu dois entrer dans le Dragon !

Il se frappait les cuisses de joie, se moquant ouvertement de la détresse de Kaylan.

– Tu es déjà vieux, hurlait-il, tu ne crains plus rien ! Mais tu dois savoir qu'en entrant dans le Dragon, tu te perdras définitivement : tu retrouveras peut-être ton enfant, mais tu ne le sauveras pas ! Tu mourras simplement avec lui !

Kaylan ferma les yeux, luttant contre la lassitude qui le minait.

Oui, Silhoss avait raison. Il était perdu…

– Je dois l'admettre, soupira-t-il, je serai bientôt mort…

Le rire métallique de Silhoss lui emplissait les oreilles.

– … mais je ne renoncerai pas pour autant.

Le vampire continuait de le narguer.

– Une chose me réconforte pourtant, Silhoss…

Le prince s'étrangla soudain : la voix de Kaylan était neutre, dénuée de tout sentiment.

– … c'est que tu ne seras pas là pour le voir !

D'un geste, Kaylan transperça son ennemi, qui retomba sur le sol, foudroyé.

Toldo s'approcha de l'Empereur-Mage :

– Que fait-on des autres ?

– On ne peut pas les laisser derrière nous, répliqua Kaylan sourdement.

Ce fut le signal attendu par les évadés. Ils se vengèrent de tous les sévices endurés pendant si longtemps.

Quand ils quittèrent l'arène, tous les vampires étaient détruits.

Kaylan, en tête de son petit groupe, s'engagea dans les couloirs sombres qui s'ouvraient sur les gradins. Ils découvrirent un palais austère aux salles hautes et étroites, aux murs couverts de peintures macabres. L'endroit faisait naître un sentiment étouffant, un malaise palpable.

Dans des appartements plus luxueux, que Kaylan attribua à Silhoss, il retrouva ses armes et son équipement. On les avait étalés sur une large table de pierre noire – pour les étudier ou pour les exposer comme trophée ?

Rongé par l'anxiété, Kaylan se jeta sur la petite fiole qui enfermait les braises-lucioles. Il gémit douloureusement en découvrant qu'elles ne brillaient presque plus. Des insectes à l'éclat aveuglant, il ne restait plus guère que des étincelles fragiles, comme des escarbilles mourantes arrachées au feu par le vent.

– Il me reste si peu de temps…

Il congédia ses hommes. Il ressentait le besoin de s'isoler pour faire le point.

Il fouilla les poches de son manteau, en sortit de précieux composants et s'assit en tailleur à même le sol. Il fit le vide dans son esprit et commença un rituel. Il eut quelques difficultés à obtenir l'effet escompté : l'épuisement le guettait, et la magie demandait toujours une débauche d'énergie…

Enfin, le visage de Arh'En Dal lui apparut.

– Kaylan ? Où es-tu ? Voilà des heures que je cherche à te localiser en vain !

– Ce serait trop long à t'expliquer, soupira l'Empereur-Mage. J'ai des nouvelles… alarmantes.

Arh'En Dal fronça les sourcils.

– Tu as trouvé Shaar-Lun ?

– Non, reconnut Kaylan en secouant la tête. Mais je sais maintenant où il se trouve. Il est…

Les mots refusaient de jaillir. L'image du Titan endormi s'imposait à ses yeux. Kaylan imaginait le monstre aux dimensions de montagne, le souffle de volcan…

– Il est dans le Dragon, lâcha-t-il enfin.

Arh'En Dal était livide :

– Par la Lune sombre, c'est… c'est de la pure démence !

– Oui, admit Kaylan, mais ne fallait-il pas être fou pour décider de réveiller le Dragon ?

Arh'En Dal jetait des regards éperdus autour de lui, cherchant un soutien, une solution.

– Si tu entres dans le Dragon, tu te perds définitivement, articula-t-il avec difficulté.

– Je sais. Mais si je n'y vais pas, mon fils est condamné, et Selenæ aussi… J'ai pris ma décision, mon ami. Je vais y aller. Il est trop tard pour moi, mais tout doit être tenté.

– Je comprends. Fais ce que tu crois juste. Puisse la Lune sombre guider tes pas !

Kaylan esquissa un sourire triste. Ses forces s'amenuisaient ; le sort se terminait. Déjà, Arh'En Dal lui apparaissait flou, et sa voix ne lui parvenait plus tout à fait.

– Veille sur Sheelba, cria-t-il dans un sursaut, et dis-lui combien je l'aime !

Il n'y eut pas de réponse. L'image s'était effacée.

Rongé de fatigue, Kaylan s'allongea sur le sol et se laissa aller un moment.

« Ne pas s'endormir, se répétait-il. Résister encore un peu. »

Il rassembla ses dernières forces, se releva et s'équipa avec soin.

Ses gestes étaient lents et peu précis, mais il parvint à maîtriser le tremblement de ses mains. Quand il fut prêt, il se dirigea d'un pas volontaire vers la porte.

Dehors, les hommes l'attendaient patiemment, Toldo à leur tête.

– Mes amis, il est l'heure de nous séparer, déclara Kaylan.

Il s'interrompit en avisant les mines défaites de ses compagnons.

– Vous allez remonter vers la surface, reprit-il. Vous êtes libres à présent. J'ai… je dois poursuivre ma mission, il me faut continuer à descendre, m'enfoncer dans…

Les mots lui manquèrent soudain. Il ne pouvait se résoudre à évoquer devant eux le ventre du Dragon.

Toldo fit un pas en avant :

– Nous pensions faire une bonne équipe. Nous ne nous en sommes pas si mal tirés, jusqu'à présent…

– Là où je vais, commença Kaylan, gêné, vous risquez… Non, je ne peux vous entraîner avec moi, je dois y aller seul !

Les hommes s'étaient rapprochés, ils formaient un demi-cercle face à l'Empereur-Mage. Toldo se gratta la nuque :

– Nous avons discuté, Kaylan. Nous ne sommes pour la plupart que…

Il toussota avant de poursuivre :

– Nous sommes des voleurs, des brigands. Nous nous sommes réfugiés dans les souterrains pour échapper à ta police, ou à des bandes rivales. Cet endroit nous paraissait offrir un abri et nous y sommes entrés pour notre plus grand malheur. Mais tu es venu, et tu nous as libérés. Sans toi, nous nous serions sans doute entre-tués dans l'arène…

– Je n'ai fait qu'agir dans l'intérêt de tous, rectifia Kaylan. Vous ne me devez rien.

Toldo secoua la tête, buté :

– Non, Kaylan. Tu as conçu le plan qui nous a sauvés. Je te dois la vie.

Il s'agenouilla devant l'empereur et parla d'une voix forte :

– Considère-moi désormais comme un de tes serviteurs.

Kaylan le releva :

– Tu ne me dois rien, Toldo, et les autres non plus. Sans vous tous, je serais mort. Merci, du fond du cœur. Je dois vous laisser maintenant : je dois poursuivre ma quête…

Les hommes resserrèrent les rangs, dressant une barrière devant lui.

– Vous n'êtes plus seul, Majesté.

Kaylan fut incapable de répliquer. Ces brigands se proposaient de lui venir en aide, à lui qui représentait l'ordre et la loi à la surface !

Toldo perçut son émotion. Il se releva et lui posa fraternellement la main sur l'épaule :

– Seras-tu vraiment le premier Empereur-Mage à être secondé par une bande de pillards ?

Kaylan finit par céder :

– Soit ! Nous irons ensemble affronter les Ténèbres…

Sa déclaration déclencha un tonnerre de vivats.

L'Empereur-Mage souriait comme un enfant : contre toute attente, il venait de lever une armée au cœur des souterrains…

12

Vingt hommes armés avançaient à travers les galeries. L'épée à la main, ils progressaient avec méfiance, tous les sens aux aguets. Autour d'eux, la terre et la roche se muaient peu à peu en une vase gluante et compacte, sur laquelle l'eau se condensait en rigoles grasses.

C'était comme la peau fripée d'un géant vieilli : des tissus ridés, malmenés, qui s'amollissaient et fuyaient sous leurs talons. Les guerriers marchaient en cadence, soulevant des gerbes d'une boue noirâtre qui maculait leurs vêtements et les alourdissait. La fatigue les gagnait ; leur démarche se faisait gauche, hésitante.

Ils atteignirent une grotte immense, dont le plafond s'étendait loin au-dessus d'eux. Kaylan grimaça en découvrant la caverne baignée de brouillard. La nappe de brume dense rampait, empêchant de distinguer les éventuels caprices du sol. Il lui aurait fallu sans doute lancer un sort de dispersement pour dégager un passage à travers le rideau de gouttelettes en suspension, mais l'Empereur-Mage répugnait à utiliser la magie. Les sortilèges réclamaient une grande dépense d'énergie, et les forces commençaient à lui manquer…

Épuisé, il leva la main et décida de faire une pause.

Son signal fut accueilli par des soupirs de soulagement.

Kaylan était reconnaissant à ses hommes de l'avoir suivi sans jamais se plaindre ni ralentir l'allure. Il leur avait imposé un train d'enfer, et à présent il constatait les dégâts. La plupart des guerriers étaient hors d'haleine. Leurs visages étaient congestionnés, et leurs respirations rauques.

– Ils sont épuisés, lui glissa Toldo, mais ils ne t'abandonneront pas. Tu peux les mener ainsi au bout du monde.

– Je n'en demande pas tant, mais je dois agir vite,

l'interrompit Kaylan comme pour s'excuser de l'épreuve qu'il leur faisait subir. Je n'en voudrai à aucun de ceux qui décideront de s'arrêter.

Le colosse secoua la tête :

– Personne ne partira, Kaylan ! Ils ont accepté leur sort. Sans toi, ils seraient morts dans ces souterrains. Ils avaient abandonné tout espoir. En marchant à tes côtés, ils se sentent vivants.

Ils fouillèrent dans leurs sacs, et distribuèrent des gourdes de vin, puis ils partagèrent des aliments séchés. Chacun but avidement et se rassasia. Toldo, hilare, passait de l'un à l'autre en brandissant une bouteille.

– Les vampires avaient assez de provisions pour tenir un siège ! Nous avons eu raison de fouiller leur repaire avant de repartir !

Kaylan hocha la tête sans répondre. Il avait visité les appartements des vampires dans l'espoir de trouver un plan des souterrains ou une carte délimitant les divers territoires, mais était revenu bredouille. Ils avaient dû reprendre la route au hasard, en se fiant à leur instinct.

Kaylan n'était sûr que d'une chose : la descente continuait. La texture du sol se modifiait, prenant l'aspect d'une chair corrompue. Le brouillard épais qui s'élevait devant eux était une nouvelle manifestation de la proximité du Dragon. Ils s'approchaient du but…

Bientôt, on découvrirait le Titan endormi.

Il leva la fiole des braises-lucioles devant ses yeux. Les insectes ne lançaient plus que des éclairs sporadiques. Sous peu, eux aussi se laisseraient dévorer par la nuit, comme des étoiles mourantes…

L'Empereur-Mage se releva d'un bond. Il redoutait ces vagues de lassitude qui le submergeaient au premier relâchement.

– Il faut repartir, dit-il sèchement.

Sans discuter, les hommes se redressèrent et saisirent leur paquetage.

Kaylan s'avança vers la brume.

Il fit le vide dans son esprit, exécuta une pantomime complexe et leva les mains. Aussitôt, le brouillard s'anima, s'ouvrant devant lui. Il rejeta la tête en arrière et se mit à psalmodier des mots anciens, oubliés des hommes.

Toldo frissonna. Pour un simple guerrier les formules magiques étaient toujours inquiétantes, porteuses de peur. Elles symbolisaient l'inconnu, l'indicible… Rien ne valait l'acier d'une lame !

Il chassa ses pensées et suivit Kaylan en s'efforçant de ne rien laisser paraître de son trouble. Derrière lui, les hommes s'étaient placés en file indienne. Kaylan progressait en ligne droite, les yeux révulsés, les lèvres tremblantes. Dans un souffle, il répétait les formules du sortilège.

Soudain, l'Empereur-Mage hoqueta. Il tituba et Toldo dut se porter à sa hauteur pour le soutenir :

– Kaylan ? Qu'y a-t-il ?

– Je… ne sais pas, c'est… comme une volonté qui s'oppose à la mienne, balbutia Kaylan.

Il gémit avant de perdre connaissance.

Aussitôt, le brouillard se referma sur eux. L'humidité les enveloppait et s'immisçait dans leurs vêtements, les transperçait. Des cris de stupeur s'élevèrent, suivis d'exclamations de douleur.

– La brume ! Elle nous dévore !

Toldo dut se rendre à l'évidence : le brouillard leur attaquait la peau. Son baiser acide allait tous les anéantir !

Il gifla Kaylan, toujours inconscient.

– Réveille-toi, par la Malemort ! Toi seul peux nous sortir de là !

Mais l'Empereur-Mage était plongé dans le coma.

Toldo rugit de colère et de désespoir. Il jeta Kaylan en travers de son épaule et se redressa de toute sa hauteur. Il tendit la main vers le guerrier qui le suivait et le saisit fermement par le bras.

– Une chaîne ! tonna-t-il. Formez une chaîne, vite !

Déjà, les hommes affolés cherchaient dans le brouillard, sans plus apercevoir leurs compagnons. La brume les contraignait à fermer les yeux et la bouche. Ils ne respiraient plus qu'à petites gorgées, pour résister à la brûlure qui ravageait leurs poumons.

La panique s'installa, et certains tentèrent d'échapper à la nappe acide. Ils partirent au hasard à travers le rideau opaque. Mal leur en prit : on entendit leurs pas s'éloigner, puis des bruits de glissade, des hurlements de terreur… et plus rien.

Toldo serra les dents et força l'allure. Il s'efforçait de poursuivre la trajectoire rectiligne adoptée par Kaylan.

– Il faut traverser cette horreur, on ne peut plus faire marche arrière !

Il se lança dans une course effrénée, entraînant derrière lui le reste de sa troupe. Les hommes trébuchaient, tombaient parfois. Mais ils se relevaient avec l'aide de leurs compagnons et reprenaient leur marche hallucinée.

Le brouillard était agité de remous étranges, qui s'intensifiaient à mesure qu'ils avançaient. C'était rythmé, puissant comme… la respiration du Titan ?

Ils parvinrent enfin à une paroi gluante, ouverte dans sa largeur par une faille aux bords luisants, telles les lèvres d'une plaie non suturée.

– Une sortie, s'exclama Toldo, nous avons trouvé une sortie !

Il s'y engagea sans plus réfléchir. À peine l'ouverture franchie, ils durent se glisser entre des colonnes ivoirines hautes comme les tours d'un palais. Les pylônes étaient acérés et jaillissaient de la voûte et du sol, barrant l'accès d'une immense caverne nauséabonde.

– Par la Malemort, Toldo, se plaignit un des hommes, tu nous as menés aux Enfers ! Cet endroit pue la charogne !

Toldo dut se résoudre à déposer Kaylan sur le sol poisseux. Il déchira un pan de son vêtement et le noua autour de sa bouche et son nez. Les hommes firent de même, puis ils humectèrent les tissus. Ainsi, la respiration devenait supportable.

Toldo fit le compte des survivants, et il réalisa avec angoisse qu'ils avaient perdu une demi-douzaine des leurs dans les vapeurs acides. Il conseilla à ses hommes de se rincer et de se sécher avec soin. Pour ce faire, les guerriers durent avoir recours à leurs gourdes de vin. Le liquide apaisa momentanément leurs brûlures.

Kaylan ne sortait pas de son évanouissement. Toldo nourrissait une inquiétude grandissante. Qu'allaient-ils faire sans l'Empereur-Mage ? Le colosse s'apprêtait à donner l'ordre de dresser un bivouac quand le sol fut agité d'un tremblement sourd. Les colonnes bougèrent, se resserrant lentement.

Toldo réagit promptement. Il ramassa Kaylan et le poussa devant lui pour s'éloigner de la barrière d'ivoire.

– Bougez, hurla-t-il, plongez à l'intérieur !

Les hommes se faufilèrent les uns après les autres, basculant en avant pour tomber sur un sol mou. Des cris de détresse s'élevèrent, et Toldo vit avec horreur que deux des guerriers avaient chuté entre les pylônes. Le piège immonde se referma sur eux, les broyant inexorablement.

Toldo en eut un haut-le-cœur et détourna la tête. Le spectacle des malheureux écrasés par les piliers luisants était insoutenable.

Il tomba à genoux et succomba à la nausée.

Autour de lui, les survivants écarquillaient les yeux, au comble de l'effroi. Ils brandissaient leurs lanternes et leurs torches, balayant les alentours. Ils ne parvenaient pas à éclairer les parois de la caverne, ni sa voûte, l'endroit était trop vaste. Mais ils pouvaient voir le sol, dont la texture et la couleur rappelaient… la viande crue !

Une nouvelle série de contractions les projeta de droite et de gauche, dans un concert de cris terrifiés. Les remous soulevèrent les malheureux, les envoyèrent voler dans les airs. Ils retombèrent dans la plus grande confusion et restèrent interdits, paralysés par la peur.

Toldo s'était cramponné à Kaylan. Il vida sa gourde pour lui asperger le visage.

– Fasse la Lune sombre que tu survives, mon ami ! balbutia-t-il.

Comme par enchantement, l'Empereur-Mage entrouvrit les paupières.

– Où suis-je ?

Toldo étouffa un sanglot de joie.

– Il est vivant ! s'écria-t-il. Venez, vous autres, venez m'aider !

À ces mots, les hommes se ressaisirent. Ils rejoignirent le colosse. Sous leurs pieds, les remous s'amenuisaient. Le calme revenait. L'espoir soudain renaissait.

Kaylan recouvra bientôt ses esprits, et Toldo en profita pour lui résumer la situation, sans dissimuler la terreur que lui inspirait l'endroit. Il cherchait ses mots, refusant d'admettre ce que son esprit lui soufflait.

– On se croirait sur une bête malade, grogna-t-il à regret.

Kaylan était partagé entre la peur et une formidable excitation.

– Nous y sommes, déclara-t-il à la cantonade. Il va vous falloir être forts, et accepter la vérité…

Les hommes étaient suspendus à ses lèvres. Ils redoutaient la révélation, en pressentaient la teneur.

– Nous sommes à l'intérieur du Dragon !

La petite troupe fut secouée par les paroles de Kaylan.

– Ce n'est pas possible, avança l'un des hommes, c'est trop…

– C'est la réalité, pourtant, assena Kaylan sur un ton qui n'admettait aucune réplique. Nous avons atteint le but de notre voyage. Il ne reste plus qu'à retrouver Shaar-Lun. Il se terre quelque part dans les entrailles du monstre.

Un silence de mort s'était abattu sur le groupe. Les guerriers, tête basse, essayaient de mesurer la portée d'une telle révélation. Ahuris, ils ne parvenaient pas à accepter la vérité. Ainsi, le Dragon existait, ce n'était pas une légende ?

Kaylan comprenait leur détresse :

– Le brouillard acide était généré par la respiration du monstre. J'ai réussi à tracer une route à travers, mais quand le Titan a senti ma magie, il l'a rejetée. La magie des hommes est insignifiante pour un Dragon. Arh'En Dal, le grand prêtre de la Lune sombre, m'avait averti : nous ne sommes rien pour le Titan endormi. Il ne réalise même pas notre présence dans son corps… Il a serré les mâchoires, et ses dents ont écrasé deux des nôtres sans qu'il en ait connaissance.

Les guerriers ne l'écoutaient plus. Ils jetaient çà et là des regards fous. Devaient-ils croire l'Empereur-Mage ? N'étaient-ils pas plutôt en train de vivre un cauchemar ?

Non, tout cela paraissait, hélas, bien réel…

La situation leur nouait la gorge, leur glaçait les sangs.

Ils étaient… sur la langue du Dragon !

13

Pour ne pas courir le risque d'incommoder le Dragon, Kaylan ordonna qu'on éteigne les torches. Il se concentra et lança un sort de lumière sur quelques objets qu'il répartit entre les hommes. Les guerriers se retrouvèrent ainsi baignés d'un halo phosphorescent. En cas d'alerte, il leur suffisait de glisser les objets – gourdes, bracelets, ou autres – sous un pan de leurs vêtements pour que l'obscurité soit totale.

Surmontant leur terreur et leur dégoût, ils poursuivirent leur avance. Du fond de la gigantesque caverne montait un bruit de cataracte. Ils finirent par découvrir deux rivières qui se rejoignaient avant de plonger en cascadant dans un gouffre.

– La gorge du Dragon, leur expliqua Kaylan. Nous allons dans la bonne direction.

Il leva la main et s'approcha avec précaution des flots qui s'écoulaient furieusement. Des fumerolles de vapeurs urticantes s'élevaient du sol. Kaylan parvint au bord d'une falaise abrupte, dont il ne pouvait distinguer les limites. Il chercha en vain à y déceler une présence, mais renonça bien vite devant le puits de ténèbres insondables.

Il rebroussa chemin et déclara une pause forcée. Il enrageait, incapable de prendre une décision. Shaar-Lun était-il réfugié dans le ventre de la Bête ou quelque part dans sa gueule ? Kaylan craignait de faire un mauvais choix en plongeant avec ses hommes au fond du gouffre. Convenait-il de fouiller la gueule avant de pousser plus loin ? Il secoua la tête, perdu dans ses pensées.

– Tu cherches le moyen de poursuivre ? fit la voix de Toldo derrière lui.

Kaylan leva la tête, le regard trouble. Il ne savait pas, ne savait plus. Il ne voulait pas affoler ses compagnons en leur avouant son impuissance.

Ils s'étaient arrêtés à quelques mètres de monticules de chair boursouflée. Sous leurs pieds, le sol était brûlant et les vapeurs montaient toujours.

Kaylan détourna la tête pour ne pas affronter les regards inquiets de ses hommes. Les mots de Toldo lui revenaient en mémoire : « On se croirait sur une bête malade. »

L'Empereur-Mage partageait à présent cet avis : le Titan semblait souffrant, perturbé. Kaylan n'aurait su dire pourquoi, mais il pressentait l'imminence d'un danger. Quelque chose allait se passer, très vite. Il fallait agir sur-le-champ…

Une voix retentit dans son esprit, comme un cri lointain : « Kay… lan… »

Il se concentra sur l'appel.

– Oui ?

Rien que le silence. Puis, de nouveau, la voix, plus proche et distincte : « Kaylan… Où es-tu ? »

Il reconnut la voix de Arh'En Dal, et son cœur se mit à battre plus fort. « Dans la gueule du Dragon », pensa-t-il avant de réaliser que ses mots pouvaient prêter à confusion.

Il rectifia :

– Quelque part dans la gueule du Titan endormi…

Le silence se prolongea, et Kaylan crut un moment que le lien télépathique avait été rompu. La magie du Dragon s'opposait-elle à leur tentative de communication ?

« Tu dois agir au plus vite, fit enfin la voix de Arh'En Dal dans sa tête. Il ne te reste que deux ou trois heures au plus avant la conjonction... De plus, si tu restes trop longtemps... risques... terribles... »

Kaylan pesta : le lien s'affaiblissait, il ne recevait plus que des bribes de l'avertissement du grand prêtre.

– Sheelba ? songea-t-il avec angoisse. Sheelba ?

Le silence total.

– Sheelba ? insista Kaylan. Sheelba ?

« ... bien...... repose... courage... »

Une voix s'éleva derrière Kaylan, qui le fit tressaillir :

– Là ! Une silhouette !

Aussitôt, les hommes s'étaient écartés, formant un demi-cercle devant l'empereur. Les armes à la main, ils sondaient l'obscurité. Une silhouette se devinait à quelques pas.

C'était un humanoïde à quatre bras. Une créature de grande taille, qui restait immobile.

– Il est seul, souffla Toldo. Restez vigilants !

– Inutile de perdre du temps en combattant, reprit Kaylan. Nous devons repartir. Reculez tranquillement et ne faites pas un geste qui puisse être mal interprété. Il garde peut-être son territoire et n'attaquera pas si nous ne sommes pas menaçants.

Les hommes reculèrent calmement. L'humanoïde donnait tous les signes d'une excitation grandissante. Il poussa un cri inarticulé et agita ses longs membres en tous sens.

– Il va attaquer ! s'écria un des guerriers. Vite, replions-nous !

Les hommes accélérèrent le pas.

– Non, rugit Kaylan, vous allez l'exciter davantage !

Trop tard ! Les cris stridents de la bête redoublèrent d'intensité. Elle fut aussitôt rejointe par une dizaine de ses congénères.

C'était maintenant toute une tribu qui agitait les bras et hurlait.

Dos au gouffre, Kaylan et ses hommes hésitaient : devaient-ils sauter dans le vide ou combattre les monstres ? Une plainte de douleur couvrit soudain les cris des humanoïdes. Kaylan fit volte-face : un de ses hommes venait d'être éclaboussé par les flots qui tombaient dans l'abîme. Sa jambe grésillait sous la morsure du liquide. Horrifiés, ses compagnons le virent basculer dans le courant tumultueux.

– De l'acide ! Nous ne pouvons pas y plonger !

En face d'eux, les humanoïdes semblaient de plus en plus furieux. Leurs gesticulations devenaient frénétiques. Kaylan sortit du rang pour se porter au-devant de ses hommes :

– Préparez-vous !

Il leva son épée et fit encore un pas en direction des monstres.

L'un d'eux l'imita et vint droit sur lui. Kaylan découvrit son aspect repoussant : sa peau était grise et couverte de cloques. Deux yeux globuleux, situés de chaque côté de la tête, surmontaient son crâne. Ils tournaient sur eux-mêmes, à la manière des globes oculaires des caméléons. Un groin épais lui mangeait la moitié de la face, et une bouche s'ouvrait au milieu de sa gorge… Il était à portée de glaive, mais Kaylan ne pouvait se résoudre à frapper. Quelque chose dans l'attitude du monstre l'en empêchait.

La bête s'arrêta devant lui et prononça une suite de sons inarticulés. Kaylan, interdit, baissa sa garde.

– Je ne comprends pas, dit-il, perplexe.

Le monstre hocha la tête et se tut.

Il leva les bras en direction de ses compagnons et tous les humanoïdes se figèrent. Puis il fit face à Kaylan. Le silence régnait à nouveau.

– Je peux vous parler de cette façon, si vous le souhaitez.

Stupéfait, Kaylan constata que les lèvres de son interlocuteur n'avaient pas bougé. La voix jaillissait de nulle part.

– Ne soyez pas étonné, poursuivit la bête. Nous savons parler aux étrangers. Il nous suffit de nous adresser à leur cœur. Nous pensions à tort que vous nous compreniez, nous avons paniqué en vous voyant si près du gouffre. C'est la raison pour laquelle nous n'avons pas su vous prévenir des dangers de la cascade. J'en suis désolé : l'un des vôtres a péri par notre faute.

– De la transmission de pensée…, balbutia Kaylan.

L'autre secoua la tête pour signifier son incompréhension.

Kaylan se tut et se concentra. « Vous pouvez nous parler… avec vos cœurs, c'est cela ? » pensa-t-il.

Le monstre émit un gémissement satisfait.

– Oui ! entendit Kaylan dans sa tête. Vous savez aussi le faire, apparemment. Mon nom est Drr'Arch'Lhg.

« Je m'appelle Kaylan, je veux retrouver mon fils et empêcher le réveil du Dragon. Pour cela, je dois rencontrer Shaar-Lun… »

– Je ne sais pas qui est ce Shaar-Lun, reprit la voix.

Kaylan réfléchit une seconde, puis se focalisa sur la dernière image du vagabond. Le portrait de Shaar-Lun se précisa dans son esprit. Il revoyait les traits creusés, les yeux brillants, les ailes membraneuses…

Drr'Arch'Lhg tressaillit :

– C'est un être dangereux que vous recherchez là.

Il plissa les yeux avant de poursuivre :

– Si vous le souhaitez, nous pouvons vous venir en aide.

« Merci, du fond du cœur ! Jamais je ne pourrai vous témoigner assez ma reconnaissance ! »

– Ceux qui combattent les Ténèbres sont nos frères, reprit Drr'Arch'Lhg.

Kaylan rengaina son épée et tendit une main à son interlocuteur.

Surpris, le monstre considéra un moment le bras tendu, puis fit de même.

« C'est ainsi que nous signifions un accord amical », pensa Kaylan.

Puis il se tourna vers ses hommes et leur lança :

– Baissez vos armes. Ils ne sont pas hostiles, ils cherchaient à nous prévenir…

Il réalisa en prononçant ces mots à quel point il avait été stupide. L'apparence monstrueuse des humanoïdes avait joué en leur défaveur. En les laissant approcher, Kaylan aurait évité la mort d'un des siens…

Drr'Arch'Lhg les mena jusqu'au repaire des humanoïdes, des abris sommaires arrimés contre les crocs ivoirins du Dragon.

– Ainsi, expliqua-t-il à Kaylan, nous pouvons sortir chasser, et aucun prédateur n'ose nous poursuivre dans la gueule du Titan…

Drr'Arch'Lhg donna quelques ordres brefs, et ses congénères disparurent un moment sous les tentes pour en ressortir porteurs d'armures étranges.

C'étaient de véritables scaphandres, qui semblaient constitués d'éléments organiques encastrés les uns dans les autres. Drr'Arch'Lhg leur montra comment les enfiler et comment s'en défaire.

– Nous les utilisons parfois pour nous protéger des projections acides. Quand le Dragon rêve, il lui arrive de saliver plus que de coutume. Nous sommes insensibles à son souffle – nous allons et venons comme bon nous semble à travers le brouillard extérieur –, mais l'acide nous brûle, tout comme vous. Ces armures vous protégeront un certain temps, mais vous devrez faire vite : une immersion prolongée vous serait fatale.

Il remit solennellement les protections aux hommes de Kaylan.

– Vous nous les rendrez si vous réussissez votre entreprise. Inutile de nous remercier : nous aussi, nous combattons les troupes de ce Shaar-Lun, ou quel que soit son nom. Nous ne vous accompagnerons pas, car notre place est ici. Mais nos cœurs sont avec vous.

Les mots manquèrent à Kaylan.

« Je reviendrai, pensa-t-il avec émotion. Je vous suis redevable. »

– Ce n'est rien. Allez maintenant, et que les esprits des anciens vous viennent en aide !

Ils enfilèrent les armures organiques et se dirigèrent d'un pas mal assuré au bord de la falaise. Ils avaient des allures de gros hannetons patauds dans ces carapaces grossières, trop grandes pour eux.

Des casques munis de curieuses membranes transparentes leur permettaient de s'entr'apercevoir. « Des pupilles de Shaaks », avait dit Drr'Arch'Lhg, laconique.

Toldo, inquiet, avait interrogé Kaylan en ajustant son scaphandre :

– Tu es certain de ce que tu fais ?

– Non, tu le sais. Je te mentirais si je t'affirmais le contraire. Mais je dois essayer. Si Shaar-Lun est au fond de l'estomac du Dragon, je dois y aller. Mon fils est avec lui. Je n'oblige personne à me suivre !

Les hommes avaient resserré les rangs aussitôt.

– Nous vous suivrons, Majesté. Nous irons jusqu'au bout à vos côtés.

Kaylan n'eut pas le temps d'exprimer sa reconnaissance. Coupant court aux effusions, Toldo avait montré l'exemple en plongeant dans les flots bouillonnants.

Emporté par le courant, il disparut dans les ténèbres.

14

Kaylan bondit dans la rivière acide à la suite de Toldo. Son armure creva l'onde et il s'enfonça comme une pierre. Autour de lui, tout n'était que fureur. Il baignait dans un flot orangé et chutait au ralenti sans trouver d'appui. Enfin, il heurta le fond dans un bruit mat qui résonna sous son casque. « Pourvu que cette carapace résiste aux chocs », songea-t-il avec effroi. Déjà, le courant l'emportait ; il partit en tourbillonnant.

Il ne distinguait plus le haut ou le bas, ne savait plus dans quel sens il dérivait. Le cœur au bord des lèvres, il fut brusquement sujet au vertige, tandis que sa chute s'accélérait. « La cascade ! Ça y est, je tombe ! »

Sous lui, il distingua la surface d'une espèce de

lac fluorescent. Il ferma les yeux et l'image de Sheelba lui apparut.

L'explosion fut terrible. Kaylan hurla en percutant l'étendue liquide. L'onde de choc s'était propagée dans tout son scaphandre, et il eut l'impression que son squelette volait en éclats.

Il coula, avant de heurter le fond. Il poussa sur ses jambes et entama la remontée.

Il jaillit à l'air en battant des bras comme un damné pour se maintenir à la surface. Il luttait de toutes ses forces contre le poids du scaphandre, qui l'entraînait vers le fond. D'autres hommes tombaient à leur tour, soulevant des gerbes d'acide avant de disparaître dans les eaux sombres. C'était un tumulte de cris étouffés, d'exclamations de rage et de remous furieux.

Ils étaient dans l'estomac du Dragon…

Quand tous les hommes eurent rejoint l'endroit, le groupe se reforma avec peine. Deux guerriers manquaient à l'appel. Les scaphandres des malheureux n'avaient pas résisté à la violence de la chute…

Kaylan adressa une prière muette à la Lune sombre.

Il tourna sur lui-même pour tenter de repérer une rive. Peine perdue : le lac était immense, on ne pouvait en apercevoir les frontières.

– Laissons-nous porter par le courant, cria-t-il à l'entour.

Il s'allongea dans l'espoir que les flots le porteraient plus facilement. Peu à peu, ils furent poussés dans une direction. Leur progression s'accélérait, les entraînant vers un tourbillon central. Ils dérivaient, à la merci du courant. Soudain, un cri de douleur attira l'attention de Kaylan.

Non loin de lui, un homme se débattait dans sa carapace organique.

– L'acide ! hurlait-il. Il perce l'armure ! Au secours !

Kaylan tenta de nager en remontant le courant, mais ses forces le trahirent vite et il dut renoncer. Incapable de vaincre les flots, il assista, horrifié, à la lente décomposition de son compagnon, victime des flots monstrueux. L'acide rongea les jointures du scaphandre et s'infiltra à l'intérieur, brûlant cruellement le malheureux. Puis les armatures cédèrent, et le liquide mortel s'engouffra. Le guerrier fut aspiré par les flots et disparut de la surface.

Kaylan jetait des regards inquiets vers les autres. Eux aussi éprouvaient à présent de semblables difficultés. L'immersion prolongée laissait aux flots tout le loisir d'exercer leurs ravages.

Bientôt, les hurlements de détresse couvrirent le bruit du courant.

Les aventuriers, affolés, étaient dévorés un à un.

L'acide usait leurs protections, suintait dans les armures et les harcelait en pluie mortelle. Alors, les scaphandres se délitaient, libérant le passage à des vagues affamées…

Kaylan pleurait de rage et de douleur. L'acide s'attaquait à son scaphandre, et gouttait sur ses épaules et ses jambes. Les morsures étaient insoutenables. Plus que sa propre douleur, les appels de ses compagnons le torturaient. Autour de lui, dans le tourbillon du siphon, des mains se levaient, crevant la surface pour quêter une aide. Des plaintes montaient, pathétiques, et s'étranglaient brusquement quand les armures rongées par l'acide coulaient, avalées par les flots bouillonnants. Ballottés, entraînés par le courant, ils étaient livrés à la furie des eaux mortelles.

Kaylan ferma les yeux et s'abandonna. Il fallait attendre, prier pour arriver de l'autre côté.

Mais où donc était cette rive ? Existait-elle seulement ?

N'avaient-ils pas commis leur dernière erreur ?

Kaylan sursauta en entendant un nouveau craquement, plus net que les précédents. Il frissonna : son armure allait céder. Une fuite s'ouvrit au-dessus de son épaule droite, et le liquide jaillit en coulée lente. Il ne put réprimer un cri, tandis que la douleur descendait le long de son flanc en vague brûlante, innommable.

Il hurla à s'en rompre les cordes vocales, tandis que le mal explosait dans son cerveau. Son scaphandre s'enfonça sous la surface.

Des étoiles noires dansaient sous les paupières de Kaylan. Il avait froid, et ne sentait plus ses membres. Il pensa une dernière fois à Sheelba, à son enfant, et s'évanouit…

Il reprit connaissance et se redressa en gémissant. La douleur était toujours là, qui lui cuisait le côté, mais ses mouvements étaient libres. Il jeta des regards ahuris autour de lui. Il était assis sur une surface rugueuse, semblable à de la roche. On l'avait débarrassé de sa carapace. Toldo se tenait debout au-dessus de lui. Il lui souriait tristement :

– Nous y sommes arrivés, mais beaucoup d'entre nous sont morts…

Kaylan tremblait nerveusement. Il ne parvenait pas à empêcher ses dents de s'entrechoquer.

– Que s'est-il passé ?… Comment suis-je arrivé ici ? J'ai coulé et…

– Je t'ai aperçu au moment où tu étais aspiré, l'interrompit Toldo. J'ai pu t'attraper, et te ramener à la surface. Le courant est allé en augmentant, et nous avons tous été happés, puis recrachés non loin d'ici. Nous avons échoué sur cette berge. On soigne les survivants.

Autour d'eux, on prodiguait des soins d'urgence. Les guerriers étalaient des huiles et des graisses sur leurs plaies. L'acide avait laissé de vilaines plaques cloquées sur les peaux.

– Combien sommes-nous ? s'enquit Kaylan.

– Une poignée, grogna Toldo. Huit survivants, dont deux ne tarderont pas à succomber à leurs blessures.

Il cracha par terre avant d'ajouter :

– Et nous ne pouvons rien faire pour eux !

– Tu m'as sauvé la vie à ton tour, déclara Kaylan.

Toldo haussa les épaules :

– Une vie pour une vie, c'est la règle. Nous sommes quittes, tu n'as pas à me remercier.

– Tu es libre de t'en aller, dans ce cas.

Toldo explosa de rire en désignant le flot qui s'écoulait devant eux et disparaissait sous leur promontoire :

– Ah oui ? Et comment vais-je repartir ? En remontant la cascade à la nage ?

Kaylan réalisa sa bévue.

– Pardonne-moi, je ne sais plus où j'en suis.

Toldo lui donna une claque fraternelle sur l'épaule.

– N'ayez crainte, majesté, les Empereurs-Mages eux aussi sont sujets à l'épuisement.

Kaylan lui sut gré de sa remarque amicale. Il aimait la façon dont le colosse prononçait le mot « majesté ». C'était dans sa bouche un surnom, un sobriquet affectueux dénué de toute raillerie, à mille lieues de l'obséquiosité qui imprégnait les discours des courtisans et autres habitués du palais…

Il réalisa soudain qu'il voyait comme en plein jour, sans qu'aucune torche ne fût allumée.

– Un sort de lumière éternelle... Je croyais que la magie n'était pas tolérée par le Dragon. Il peut être lui-même la source d'un tel phénomène, réfléchit Kaylan à haute voix.

Il se releva péniblement et constata l'ampleur des dégâts. Ils n'étaient plus que six hommes valides. Six aventuriers épuisés, pour affronter Shaar-Lun sur son domaine ! La tâche lui apparut insurmontable soudain.

Les deux blessés ne tardèrent pas à rendre leur dernier souffle. On les porta jusqu'à la rivière acide, où ils furent immergés.

Kaylan ne savait plus quoi dire à ces guerriers qui avaient risqué leur vie pour l'aider à accomplir sa mission.

Toldo s'approcha.

– Inutile de parler, lui glissa le géant. Ils savent que tu partages leur douleur. Nous sommes ensemble, et nous périrons ou vaincrons à tes côtés.

En silence, ils réunirent leurs équipements et repartirent. Devant eux, un large couloir s'ouvrait, qui menait à une nouvelle caverne en contrebas.

Ils traversèrent le corridor et découvrirent un spectacle surprenant. Au centre de la caverne, un palais s'offrait aux regards. Kaylan crut défaillir de joie.

– Nous y sommes ! Nous avons trouvé le repaire de Shaar-Lun !

Ils se tapirent contre la paroi pour se soustraire à la vue d'éventuelles sentinelles. Il convenait de mettre au point le plan d'assaut de la forteresse ; on ne pouvait échouer si près du but…

Kaylan se retira à l'écart et choisit avec soin les composants de ses sorts. Il lui fallait se livrer à un dernier rituel avant de lancer l'assaut. Dans leur fiole, les braises-lucioles n'étaient plus que des étincelles mourantes.

Il exécuta la pantomime complexe et récita le sortilège. Une image apparut devant lui et se précisa peu à peu.

– Nous avons peu de temps, souffla Kaylan. J'ai atteint le palais.

– Enfin ! s'exclama Arh'En Dal. Il ne te reste qu'une heure avant la conjonction.

– Je sais. Je veux simplement que tu me donnes des nouvelles de Sheelba…

Arh'En Dal sembla hésiter.

– Allons, parle ! ordonna Kaylan. Que veux-tu donc me cacher ?

– C'est que… l'impératrice est très faible. Elle s'inquiète pour toi, mais n'a pas assez de forces pour te venir en aide. Elle aurait voulu se matérialiser à tes côtés, mais je crains qu'un tel effort ne lui soit fatal.

– Il n'en est pas question, dit vivement Kaylan. Tu dois l'empêcher à tout prix de commettre une telle folie. Je vais attaquer le palais de Shaar-Lun. Je suis accompagné d'hommes déterminés, avec lesquels je devrais pouvoir lancer un assaut victorieux. Si je venais à disparaître dans cet ultime combat, personne ne sauvera mon fils. Qui régnerait alors sur Selenæ ? Elle doit le comprendre, et assumer son rôle.

Arh'En Dal baissa la tête, effondré :

– Il sera fait selon ta volonté.

Kaylan voulut mettre fin à son sort pour préserver son énergie, mais il se ravisa :

– Arh'En Dal !

– Oui ?

– Va dire à Sheelba combien je l'aime !

Sans attendre de réponse, l'Empereur-Mage rejoignit ses compagnons.

L'heure était venue de l'assaut final.

Kaylan et Toldo répartirent les rôles et se remirent en route, chacun à la tête d'un petit groupe. Ils avançaient en silence, profitant du moindre caprice de terrain pour se soustraire à la vue des gardes.

Ils atteignirent sans encombre les marches du palais.

Un grand escalier de marbre noir menait à une ouverture majestueuse. De hautes colonnes sombres soutenaient la voûte d'une grande salle, d'où on accédait à un jardin intérieur composé avec goût, débordant de buissons de fleurs étranges aux parfums enivrants. De chaque côté de la porte, des sentinelles humanoïdes montaient la garde.

Kaylan reconnut les hybrides qui l'avaient attaqué dans ses appartements quelques jours auparavant. Les créatures mi-hommes mi-lézards étaient armées de redoutables tridents. Elles ne faisaient pas montre d'une attention soutenue, bâillant à s'en décrocher la mâchoire et lançant parfois un regard morne vers l'extérieur.

Elles ne s'attendaient pas à repousser un assaut, et furent prises au dépourvu quand Kaylan lança le signal de l'attaque. Les guerriers se glissèrent dans le dos des monstres et les égorgèrent, amortissant le bruit de chute. On tira les dépouilles derrière des piliers et on leur subtilisa leurs armes.

Puis le commando poursuivit l'infiltration des lieux : ombres décharnées, fantômes silencieux, ils glissaient d'une muraille à l'autre, se coulaient derrière les colonnes. Ils jaillissaient de l'obscurité, bâillonnaient d'une main leurs victimes et frappaient vite et fort. Ils éliminèrent ainsi les gardes un à un.

Ils parvinrent en toute discrétion jusqu'à la cour intérieure du palais, où ils réduisirent au silence des hybrides qui patrouillaient dans les jardins.

Ils se regroupèrent enfin devant un lourd portail, de l'autre côté de la cour intérieure. Les deux battants étaient ouvragés, présentant des spectacles obscènes de débauche et de torture, qui firent frémir les guerriers les plus aguerris. On pénétrait ici aux sources du Mal…

Kaylan avait déjà vu de telles sculptures quand il avait passé l'Épreuve autrefois. Il savait les penchants des forces des Ténèbres pour les représentations morbides.

Toldo et deux autres guerriers à la carrure de lutteur s'occupèrent d'écarter les portes, tandis que le reste de la petite troupe s'engouffrait prestement dans le couloir.

Ils tombèrent nez à nez avec quatre hybrides stupéfaits, qui n'eurent pas le temps de réagir. À peine l'un d'entre eux put-il lancer un cri d'alarme qu'ils gisaient au sol, égorgés. Toldo et ses hommes s'empressèrent de rejoindre leurs compagnons, refermant le portail derrière eux.

Ils reprirent leur souffle, découvrant avec horreur le nouveau décor.

Les parois étaient truffées de petites cavités, dans lesquelles ont avait disposé des crânes de toutes sortes. Il y avait là des crânes monstrueux, munis de cornes, des gueules allongées, aux multiples rangées de crocs, mais aussi des ossements humains. C'était comme les alvéoles d'une ruche, remplis de trophées macabres. Quelques-uns étaient blanchis, d'autres semblaient momifiés. Les hommes déglutirent avec peine devant cet étalage odieux. Kaylan et Toldo avançaient toujours, tous les sens en alerte.

Quelque chose n'allait pas ! Tout était trop simple, les défenses tombaient une à une…

Mais rien ne se produisit. Ils atteignirent le bout du couloir et entrouvrirent une nouvelle porte, révélant une salle de réception grandiose. On eût dit la nef d'une cathédrale. Des colonnes de marbre imposantes soutenaient la voûte, très haut au-dessus de leurs têtes.

Des sièges confortables étaient disposés de part et d'autre d'une estrade de pierre surmontée d'un autel.

Au fond, quatre silhouettes achevaient les préparatifs d'une cérémonie, installant candélabres et brûle-parfums. Leurs toges noires ne masquaient pas les ailes membraneuses des créatures. Aucune d'entre elles ne s'était aperçue de l'arrivée des guerriers, qui se glissèrent à l'intérieur de la salle et se camouflèrent entre des rangées de fauteuils.

Kaylan et Toldo rampèrent pour s'approcher de l'autel.

Un bruit, de l'autre côté de la salle, les figea. Une porte s'était ouverte, on approchait. Des pleurs légers se firent entendre.

– Mon fils, souffla Kaylan. C'est lui !

Il se redressa et jeta un coup d'œil furtif. Il aperçut Shaar-Lun, qui se dirigeait d'un pas décidé vers l'autel. Il portait un couffin sombre, et ne prêtait pas la moindre attention aux plaintes du bébé.

N'y tenant plus, Kaylan se redressa et s'élança vers l'autel. Alors qu'il allait bondir, un hurlement lui parvint de derrière une colonne. Il tourna la tête et vit surgir un garde hybride, qui plongea vers lui.

Kaylan, surpris, ne put esquiver l'attaque. La lame du garde filait vers son poitrail.

– Noon !

Une ombre s'était abattue devant Kaylan. Il y eut un choc sur son ventre, et l'empereur partit à la renverse. Un cri retentit, puis un autre.

L'alerte était donnée. Les hommes se levaient et chargeaient l'autel.

Avec des sifflements de haine, les hybrides se jetaient à leur rencontre.

Kaylan se secoua. Un corps était allongé sur le sien.

Il n'avait pas mal. « Je n'ai pas été touché, songea-t-il. Par quel miracle ? » Il réalisa soudain que Toldo gisait sur lui, inerte.

Il se rétablit et souleva le visage de son compagnon :

– Toldo ? Toldo !

Le colosse était très pâle. Une large blessure s'ouvrait au milieu de son torse maculé de sang. Il se força à sourire :

– Je t'avais dit que je veillerais sur toi jusqu'au bout…

– Tiens bon, le supplia l'Empereur-Mage. Tu vas t'en sortir !

Toldo eut une quinte de toux douloureuse :

– Pas cette fois, j'en ai peur.

Il crispa sa main sur l'avant-bras de Kaylan.

– Va, ne t'occupe pas de moi ! Sauve l'enfant ! Tu me dois une vie, maintenant, souviens-t'en !

Ses yeux perdirent leur éclat et sa tête roula sur le côté.

Avec un cri de rage, Kaylan se releva et se jeta dans la mêlée.

15

Kaylan et ses hommes maîtrisèrent vite la situation. Les cadavres des hybrides gisaient sur l'estrade de pierre.

L'Empereur-Mage étouffa un juron : Shaar-Lun avait disparu ! Profitant de la confusion, il s'était éclipsé, abandonnant le bébé.

– Fermez les portes avant que les renforts n'arrivent ! ordonna Kaylan.

Les guerriers bloquèrent les deux accès de la salle à l'aide d'épaisses barres de bois.

– Et maintenant ? demanda l'un d'eux. Comment va-t-on faire pour repartir ?

Kaylan ne l'écoutait pas. Penché au-dessus du couffin, il s'assura que son fils allait bien. Le bébé geignait, mais semblait en bonne santé. Il lui caressa doucement le visage :

– Ne crains rien, mon fils ! Je suis là à présent. Personne ne te fera de mal.

Il releva la tête et sembla seulement comprendre la question du guerrier.

– Maintenant ? Il nous faut tenir cette place le plus longtemps possible. Si nous les empêchons de perpétrer leur cérémonie, ils seront obligés d'attendre la prochaine conjonction lunaire, dans une dizaine d'années !

Kaylan confia son enfant à deux combattants robustes, puis il entreprit de fouiller systématiquement la salle. Shaar-Lun avait mystérieusement disparu, mais il n'avait pu aller bien loin...

Un bruit léger sur le côté le fit sursauter.

– Montre-toi ! vociféra Kaylan. Sors de ta cachette et viens m'affronter, d'homme à homme ! Conduis-toi en souverain, toi qui prétends régner sur le royaume-d'en-bas !

Il n'obtint pour réponse qu'un ricanement mauvais, qui semblait provenir de partout à la fois.

– Shaar-Lun, reprit Kaylan, tu dois m'affronter ! Je ne te laisserai pas mener la cérémonie...

– Je le sais, fringant guerrier ! Mais je sais aussi que tu as toujours été plus fort que moi. Je préfère m'en remettre à la magie !

Un sifflement dans son dos fit pivoter Kaylan. Juste à temps : il évita ainsi la morsure de la dague de jais du vagabond.

– Bravo ! s'exclama Shaar-Lun. Tu n'as rien perdu de tes réflexes !

Cédant à un accès de rage, Kaylan balaya l'air de son épée. Sa lame ne rencontra que le vide, déclenchant l'hilarité de Shaar-Lun.

– Allons, ne fais pas l'enfant ! Tu n'as pas une chance… Abandonne, et je te promets une mort rapide et indolore !

– Jamais ! hurla Kaylan en redoublant de fureur. Je ne te laisserai pas mon enfant ! Je jure de te tuer !

– Imbécile ! cracha Shaar-Lun avec mépris. Je suis invisible, tu ne peux rien contre ma magie… Tôt ou tard, je t'abattrai…

Le doute s'insinua dans l'esprit de Kaylan. Son adversaire avait raison : comment pouvait-il le repérer ?

L'air sembla soudain agité de remous. Devant lui, quelque chose prenait consistance.

Kaylan recula vivement, l'arme haute. Il se raidit en reconnaissant la silhouette.

– Sheelba ? bégaya-t-il. Que… que fais-tu ici ? Tu n'aurais pas dû…

L'impératrice se dressait à présent devant lui. Elle était d'une pâleur cadavérique, et de profonds cernes soulignaient ses yeux.

– Je ne pouvais te laisser seul avec le bébé, murmura-t-elle. Les mages du palais ont fait des prodiges ; ils ont uni leurs forces et m'ont permis de lancer ce sortilège. Je peux te voir, t'entendre et agir avec toi.

– C'est de la folie, mon amour ! Tu n'as pas la force, tu vas…

Sheelba fit voler sa chevelure, l'air buté :

– Tu ne peux pas combattre Shaar-Lun, tu n'es pas assez puissant. Mais ma science de la magie peut nous y aider.

Kaylan soupira : il ne servait à rien de s'opposer à Sheelba.

Elle le prit par la main, et il fut surpris par ce contact froid. Il avait oublié un instant que ce n'était pas Sheelba, mais un double de l'impératrice, qui était apparu dans la pièce…

Elle se mit à sonder le décor :

– Il est là ! Sur ta droite ! Un peu plus à gauche ! Là, contre le mur !

Suivant scrupuleusement ses ordres, Kaylan frappait, mais sa lame ne rencontrait que le vide. Chacun de ses coups était suivi par un cri de désarroi de Sheelba… et un éclat de rire de Shaar-Lun.

Ce dernier ne manquait pas une occasion de se moquer de lui :

– Allons ! Du nerf ! Tu finiras bien par m'avoir !

La colère décuplait les forces de Kaylan, qui réussit, à force de persévérance, à acculer son adversaire dans un angle de la pièce.

– Rends-toi, lui lança-t-il, ne m'oblige pas à te tuer !

Shaar-Lun réapparut. Sheelba sursauta en découvrant le visage de leur ancien compagnon. Shaar-Lun avait les traits crispés, ses yeux brûlaient d'un feu de démence, et ses lèvres se retroussaient sur un sourire cruel.

Il la salua en ignorant volontairement Kaylan.

– Sheelba, ma chère ! On n'attendait plus que toi pour que la fête soit totale…

Il ouvrit les bras, comme pour les embrasser tous deux.

– Je suis si heureux de nous voir réunis, comme au bon vieux temps !

Kaylan, sur la défensive, avait reculé d'un pas.

– Je ne doutais pas que vous y arriveriez, poursuivit-il. N'êtes-vous pas les Empereurs-Mages, les héros les plus puissants de Selenæ ? Vous voici, face à moi, et juste à l'heure pour le spectacle !

Il éclata d'un rire fou :

– Vous n'auriez manqué sous aucun prétexte la mise à mort de votre bébé !

Il lança une main griffue en avant, et effleura le visage de Kaylan. Celui-ci étouffa un juron et répliqua d'un coup d'épée. Une fraction de seconde trop tard : Shaar-Lun avait déployé ses ailes de chauve-souris, et d'une détente prodigieuse s'était propulsé jusqu'à l'autel.

Là, il se débarrassa d'un revers de main du premier des guerriers qui gardaient le bébé. L'homme chuta au bas de l'estrade, assommé. Le second essaya de frapper, mais Shaar-Lun avait déjà saisi le couffin et s'était envolé.

Il tournait à présent sous la voûte, hors de portée de leurs armes.

– Vous ne m'avez pas compris, éructa-t-il. Vous êtes ici parce que je le veux bien ! Il m'aurait suffi d'un claquement de doigts pour vous faire éliminer pendant votre périple, mais je tenais à votre présence en un tel moment.

Kaylan n'y tenait plus. Il dansait d'un pied sur l'autre, cherchant le moyen d'atteindre le monstre qui planait là-haut, son fils dans les bras.

– Non, le supplia Sheelba, ne tente rien. S'il lâchait le bébé…

– Bien raisonné, la belle ! renchérit Shaar-Lun. Tu es toujours aussi lucide ! De toute façon, ton époux n'en a plus pour très longtemps…

Kaylan fronça les sourcils. Que voulait-il dire ?

Il passa une main sur sa joue et ramena ses doigts maculés d'une trace verdâtre.

– Les griffes…, balbutia-t-il. Elles sont empoisonnées !

– Enfin, tu as compris !

Shaar-Lun fut secoué par un fou rire qui glaça les sangs de ses adversaires.

Kaylan fit un pas en avant. La tête lui tournait, il ne sentait plus ses bras. Une sueur froide lui envahit l'échine.

– Je… ce n'est pas possible… pas maintenant ! Pas si près du but !

Le rire de Shaar-Lun lui parvenait en échos distordus. Il surprit le regard de Sheelba, ses yeux effrayés.

Tout le décor se mit à tourbillonner. Pris de vertige, Kaylan lâcha son arme et roula au sol.

16

Les hommes de Kaylan s'étaient rendus. Privés de leur chef, désemparés, ils avaient déposé leurs armes. Le Prince des souterrains leur avait ordonné d'ouvrir les portes de la salle, et des hybrides s'y étaient engouffrés.

Ils avaient ligoté les guerriers et les avaient plaqués sans ménagement contre une paroi de la salle. Shaar-Lun s'était gaussé d'eux :

– D'ici, vous ne manquerez rien de la cérémonie !

Il ne s'était posé sur le sol que lorsqu'il avait jugé la situation parfaitement sous contrôle.

L'image de Sheelba s'était agenouillée auprès de Kaylan. L'impératrice pleurait en silence. Kaylan se mourait, une main sur la poitrine. Son visage avait une teinte grisâtre, et ses lèvres bleuies témoignaient de la présence du poison dans ses veines.

Allongé sur le dallage de la pièce, l'Empereur-Mage tentait désespérément de se redresser.

– Mon fils, murmurait-il, sauvez mon fils…

Mais personne n'était plus en mesure de lui venir en aide.

Shaar-Lun s'approcha et se pencha sur lui. Il paraissait jouir du spectacle :

– J'espère que tu savoures la douleur ! C'est la dernière sensation que tu emporteras en enfer.

Il passa les doigts dans les cheveux de Sheelba.

– Ah ! soupira-t-il. Ma douce, ma tendre Sheelba ! Si seulement tu m'avais choisi, plutôt que de succomber à ce bellâtre… Que de choses nous aurions faites, que de mondes seraient à nos pieds aujourd'hui ! Au lieu de cela, regarde le gâchis !

Sheelba se crispa à son contact. Elle leva vers lui un regard interrogateur, qu'il ignora.

– Mais assez perdu de temps : la conjonction va se réaliser sous peu. Nous allons réveiller le Titan endormi !

Kaylan aurait voulu cracher sa haine et son mépris, mais il n'en avait plus la force. Sa vie s'envolait, il ne sentait plus ses membres. Il avait l'impression de perdre sa substance, de se transformer en créature éthérée…

Sheelba effleura ses lèvres ; puis elle déposa un baiser sur son front. Ensuite, elle se leva et traversa la salle. Elle alla droit sur Shaar-Lun et lui dit d'une voix suppliante :

– Tu l'as dit lors de ta visite au palais : tu as besoin du sang d'un Empereur-Mage. Prends ma vie, Shaar-Lun, et libère mon enfant. Laisse les miens sortir d'ici, je t'en conjure.

Shaar-Lun leva un sourcil. Son masque de démon se fit plus cruel encore :

– Qu'entends-je ? N'est-ce pas l'émouvant chant d'une mère prête à tout pour sauver le fruit de sa chair ? Ah ! Qu'il est bon de se savoir tout-puissant ! Mais que me demandes-tu exactement, ô ma douce Sheelba ? De libérer ton enfant ? Me crois-tu assez miséricordieux pour laisser en vie l'ignoble rejeton de Kaylan ?

Shaar-Lun se passa la langue sur les lèvres :

– Non ! poursuivit-il. Il n'en est pas question. De plus, l'enfant de deux Empereurs-Mages est porteur de magie, et son sang n'en sera que plus efficace pour le rituel !

Il singea une expression désolée et pencha la tête de côté pour lui lancer :

– Hélas, ma douce ! Je ne puis accéder à ta requête, et c'est la mort dans l'âme que je m'apprête à ouvrir le ventre de cet enfant !

Sheelba leva les mains et poussa un cri d'horreur quand Shaar-Lun s'empara du couffin. Les pleurs de l'enfant s'élevèrent à nouveau, comme si le bébé avait pris conscience de l'imminence de sa mort.

À quelques pas de là, Kaylan résistait toujours. Appuyé sur un coude, il avait suivi la confrontation, mais sa vue se brouillait. À travers la brume de la fièvre, il vit Sheelba commencer une pantomime magique.

L'impératrice jetait elle aussi ses dernières forces dans la bataille.

– Non, la supplia-t-il, ne fais pas cela !

Il se sentit brusquement attiré par le vide et retomba en arrière, sans vie.

Sheelba, les yeux révulsés, psalmodiait une incantation. Elle tendit les mains vers Shaar-Lun et libéra un flot dévastateur.

La vague d'énergie atteignit le Prince des souterrains de plein fouet, et rejaillit sur les créatures hybrides qui l'entouraient. Les monstres glapirent de douleur et s'effondrèrent, tandis que Shaar-Lun la considérait, faussement surpris :

– Sheelba, pauvre Sheelba... Croyais-tu vraiment que ta magie serait encore efficace contre celui que je suis devenu ? Oh, rassure-toi : elle aurait probablement terrassé l'ancien Shaar-Lun, mais aujourd'hui...

Épuisée, Sheelba avait posé un genou au sol. Il s'approcha d'elle et la contraignit à se relever.

– Pourquoi t'obstiner quand la partie est jouée ? Pourquoi combattre encore, quand ce n'est plus qu'une question de secondes ?

– Je suis l'Impératrice-Mage, dit-elle. Je dois lutter pour la survie de Selenæ.

Shaar-Lun la dévisagea avec un mélange d'étonnement et d'admiration.

– Tu n'as donc pas compris que lorsque le Dragon se sera éveillé, tout Selenæ va disparaître ?

Après la ville, c'est le monde entier qui sera englouti à son tour !

Il fut interrompu par l'enfant qui gémissait sur l'autel de pierre sombre.

– Assez perdu de temps, déclara Shaar-Lun. Emparez-vous d'elle. Je dois invoquer mon maître…

Les hybrides firent reculer Sheelba, tandis que Shaar-Lun traçait un pentacle autour de l'autel obscur avec de la poudre d'or, qu'il répandait en fine traînée tout en récitant des sortilèges.

Un tremblement agita le sol de la pièce, et un nuage nauséabond se forma au-dessus de l'autel.

Shaar-Lun s'agenouilla respectueusement et leva les bras au ciel :

– Enfin, l'heure est venue de notre victoire ! Je te supplie de venir, toi, mon maître. Viens parmi nous et permets le réveil du Titan endormi, ô Celui-qu'on-ne-nomme-pas !

Le bébé pleura avec plus de force encore. Sheelba, impuissante, le vit disparaître dans le nuage.

Les plaintes de l'enfant lui déchiraient le cœur : il la suppliait de venir, de le prendre dans ses bras.

Sheelba se débattit et voulut l'atteindre, mais les hybrides dressaient une muraille devant elle.

Elle porta une main tremblante à ses lèvres.

Au milieu du nuage rouge, une forme ailée venait d'apparaître…

17

– Tu m'as appelé, me voici ! dit le démon.

Shaar-Lun se prosterna :

– Le moment est venu, Maître, de réaliser le grand œuvre…

Sheelba, horrifiée, contemplait la scène sans pouvoir réagir. La… chose qui se tenait au milieu de l'autel était à l'image du chaos. C'était un humanoïde qui mesurait plus de deux mètres, au corps couvert d'un pelage dru et luisant, surmonté d'une tête de bouc. Ses yeux – deux globes sombres, fendus verticalement de pupilles jaunes – étaient chargés de haine. Deux grandes ailes de cuir d'un violet profond étaient repliées dans son dos. Le monstre était chaussé de hautes bottes, et portait chemise et braies rouges. Son torse était protégé par un plastron aux reflets aveuglants, gravé de signes cabalistiques. Une épée pendait à son côté. Il en caressait distraitement le pommeau d'une main longue et décharnée, aux griffes effilées.

Il s'exprimait d'une voix métallique.

– Je vois que tu t'es acquitté de ta mission, Shaar-Lun. Tu es donc bien celui que tu prétendais… Je t'avoue en avoir douté un peu !

– Maître, répondit Shaar-Lun avec une courbette servile, je ne désire que votre avènement.

– Il aura lieu bientôt, dès que le Titan se sera réveillé et que les Ténèbres auront envahi la terre ! Je régnerai sans partage, et tu seras mon héraut !

Shaar-Lun s'inclina respectueusement.

Sheelba, la gorge nouée par l'amertume, regardait son ancien compagnon. Ce n'était pas possible, Shaar-Lun ne pouvait être devenu ce monstre malfaisant…

Elle allait se réveiller, ce ne pouvait être qu'un cauchemar !

Mais la situation était bien réelle, hélas, et la plainte de son enfant était là pour le lui rappeler. Elle regarda en direction de Kaylan, mais ce dernier gisait au sol, inerte.

Sheelba adressa une supplique muette à la Lune sombre.

Le démon s'approcha du couffin et contempla le bébé. Il eut un sourire carnassier en entendant ses hurlements de terreur.

– Bien ! Cet enfant est idéal pour la cérémonie !

Shaar-Lun s'approcha à son tour. Il saisit l'enfant dans ses mains et le présenta en offrande au démon :

– Maître, nous n'attendons plus que votre bon vouloir…

Sheelba cria sa détresse, mais personne ne s'en inquiéta.

Le démon déploya ses ailes d'une envergure formidable, occultant les flambeaux fixés au mur, derrière lui. Aussitôt, une tornade se leva dans la pièce, chassant les dernières effluves du nuage pourpre. Le démon dégaina son épée et lança un ordre sec.

La lame s'enflamma, faisant reculer instinctivement les hybrides présents.

Le monstre riait, envahi d'une joie sauvage à l'approche de son couronnement.

De la pointe de son glaive, il traça un pentacle

diabolique sur l'autel. La pierre semblait hurler sous son arme, qui gravait en profondeur des entrelacs complexes. Tétanisée, Sheelba assistait à la scène les yeux grands ouverts. L'épée du démon découpait la pierre…

Quand il eut achevé son tracé, le démon se recula et pencha la tête de côté, une expression satisfaite dans le regard.

– À toi de jouer, dit-il à Shaar-Lun. Le rituel réclame sa part de sang impérial.

Shaar-Lun tendit les mains, brandissant le bébé à bout de bras. Il le présenta au-dessus du pentacle. Sheelba laissa fuser une plainte déchirante. Elle avait l'impression qu'on lui arrachait le cœur.

– Plus rien ni personne ne peut nous arrêter, Maître !

Le démon claqua la langue, agacé :

– Fais ton office sans plus tarder : la conjonction ne durera pas éternellement !

Shaar-Lun acquiesça et abaissa son précieux fardeau jusqu'à effleurer l'autel. L'enfant s'était raidi, il avait plongé son regard dans celui de Shaar-Lun.

– Ne fais pas ça !

La voix avait tonné sous la voûte, faisant tressaillir le démon et Shaar-Lun, qui manqua de lâcher l'enfant.

Celui-qu'on-ne-nomme-pas fit volte-face, toisant l'homme qui avait osé interrompre la cérémonie. Kaylan se tenait au pied de l'estrade, l'épée à la main. L'Empereur-Mage semblait avoir recouvré ses forces.

– Personne ne touchera à un cheveu de cet enfant tant que je serai en vie !

Le démon rugit de colère :

– Qu'à cela ne tienne ! Je me charge de t'exécuter le premier !

Il bondit en avant, dégaina dans le même mouvement et frappa avec une vivacité surprenante. Kaylan esquiva l'attaque et répliqua aussitôt, atteignant le monstre à la gorge. Celui-ci feula de colère. Un flot de sang noir jaillit par la plaie.

Kaylan réprima un cri de joie : sous ses yeux, le sang s'évaporait, et la plaie se refermait.

– Tu as la mémoire courte, humain ! Les créatures nées des Ténèbres ne sont pas vulnérables à l'acier ! Seuls l'onyx et le sang impérial peuvent les atteindre.

Il éclata d'un rire sardonique et fondit sur Kaylan, qui ne put que reculer, parant au hasard la pluie de coups qui s'abattait sur lui.

Souvent, l'Empereur-Mage trouvait la faille dans la défense de son adversaire. Sa lame plongeait alors profondément dans les chairs du démon, mais les plaies se cicatrisaient aussitôt. Kaylan finit par soupçonner le démon de s'offrir à ses coups pour le décourager. Il ne cédait pas pour autant, et s'appliquait à repousser les assauts furieux de la bête.

Le combat dura un long moment, les menant d'un bout à l'autre de la salle. Aucun des belligérants ne semblait disposé à lâcher prise. Le temps passait, lentement, trop lentement pour Kaylan, qui sentait ses forces l'abandonner.

« Tenir ! se répétait-il. Je dois résister encore ! Le temps joue en ma faveur, bientôt il sera trop tard pour la cérémonie ! »

Excédé, le démon se tourna vers Shaar-Lun.

– Tue l'enfant ! Vite !

Mais Shaar-Lun restait immobile. Le démon rugit de plus belle :

– Sacrifie-le, je te l'ordonne !

Shaar-Lun s'écarta prestement de l'autel, serrant

le bébé contre son cœur. Il ouvrit ses ailes et décolla pour se poser auprès de Sheelba.

Il lui remit l'enfant sans un mot.

Les hybrides, ébahis, tardèrent à réagir. Shaar-Lun en profita pour tirer son arme et les frapper à toute volée.

Les têtes des monstres roulèrent sur les dalles.

À l'autre bout de la pièce, le démon vomissait sa haine :

– Je vous tuerai ! Je vous tuerai tous !

Kaylan attaquait sans relâche, abattant son épée de toutes ses forces.

Shaar-Lun s'approcha d'eux en deux mouvements d'aile. Il saisit à sa ceinture sa dague de jais et la lança à Kaylan :

– À toi, mon ami !

D'abord interdit, Kaylan réagit et frappa le démon de la dague. Il l'atteignit en plein torse. Le monstre hurla de douleur et Kaylan retira son arme, prêt à en user de nouveau.

Mais le démon éclata de rire, et l'Empereur-Mage constata avec horreur que sa blessure se refermait comme les autres !

– Tu ne peux pas m'atteindre, seul le sang impérial agit sur moi !

Il se lança dans une succession de passes rapides, prit Kaylan de vitesse et le désarma. Du plat de l'épée, il l'atteignit à la tempe, et l'Empereur-Mage partit à la renverse.

Le démon se tourna vers Shaar-Lun avec une grimace haineuse. Ses joues étaient secouées par des rafales de tics.

– À ton tour, Shaar-Lun. Tu vas apprendre le prix de la trahison !

Le vagabond se tenait derrière l'autel. Il avait retourné son épée contre son ventre.

– Je t'attends, ô mon maître, fit-il avec morgue.

– C'est ainsi que tu penses m'échapper ? siffla Celui-qu'on-ne-nomme-pas. Même la mort ne soustraira pas ton âme : tu es sous mon emprise.

Shaar-Lun eut un sourire triomphant. Une flamme sombre s'était allumée dans ses prunelles.

– La conjonction s'achève, dit-il doucement. Le sang va être versé sur le pentacle. Mais plutôt que d'en suivre le tracé, je vais laver l'autel… Tu as perdu !

À cet instant, sous le masque de Shaar-Lun on vit poindre l'homme qu'il avait été autrefois. Il était redevenu le vagabond ténébreux qui avait côtoyé les Empereurs-Mages dans les souterrains.

Sa voix vibrante s'éleva sous la voûte :

– C'est notre seule chance de te détruire !

Le démon ne se départait pas de sa tranquille assurance.

– Tu ne m'échapperas pas, Shaar-Lun ! Seul le sang impérial peut agir sur ma magie. Tu ne pourras pas effacer le pentacle, tu ne peux pas m'atteindre.

Shaar-Lun prit une longue inspiration et lâcha, d'un seul trait :

– Tu oublies sans doute que je suis, moi aussi, empereur de Selenæ !

Sa main ne trembla pas lorsqu'il plongea la lame noire dans son torse. Son sang jaillit en flots sombres, éclaboussant l'autel. Surmontant la douleur, Shaar-Lun tendit la main pour effacer le dessin impie.

Le démon tressaillit, puis il se contracta sous l'effet d'un spasme violent :

– Qu'as-tu fait ? Non, ce n'est pas possible ! Tu n'as pas pu…

Une énorme déflagration retentit. Le démon venait d'exploser ! Un maëlstrom prit naissance au-dessus de l'autel, aspirant tout aux alentours.

Sheelba se coucha sur le sol en protégeant son enfant. Les meubles roulaient, les torches étaient soufflées. Les restes épars du démon furent happés par le tourbillon. Une nouvelle détonation les assourdit, et le silence retomba enfin sur les lieux.

Sheelba se redressa et regarda Shaar-Lun. Le vagabond se tenait roide devant l'autel, le visage effroyablement pâle.

– J'ai réussi, souffla-t-il. Le démon est détruit...

Ses yeux se révulsèrent, et il bascula en avant.

18

Kaylan s'élança et prit Shaar-Lun dans ses bras.

– Shaar-Lun ! Parle-moi !

Il grimaça en découvrant la blessure du vagabond. La plaie était large et profonde. Sa vie s'en échappait en un flot carmin.

Shaar-Lun entrouvrit les yeux. Il était livide, ses prunelles se voilaient déjà.

– Enfin je te retrouve, mon ami…

Sa voix n'était plus qu'un souffle.

Kaylan secouait obstinément la tête :

– Tu ne vas pas mourir ! Tu n'as pas le droit ! Pas après ce que tu as fait !

Kaylan posa une main sur l'avant-bras de l'Empereur-Mage :

– Pardonne-moi pour tout ce que je vous ai fait

subir ! Je ne… pouvais faire autrement. Trouve le livre, tout est… dedans…

Il fut secoué d'une violente toux et le sang envahit ses lèvres bleuies.

– Tais-toi, murmura Kaylan. Repose-toi. Nous allons te soigner, nous allons…

Shaar-Lun l'interrompit :

– Non, mon ami. Il est trop tard. Sache seulement que je meurs… heureux.

L'émotion submergea Kaylan. Les larmes coulaient sur son visage tandis qu'il étreignait son ancien frère d'armes. Il leva la tête, éperdu, cherchant le soutien de Sheelba.

Elle s'approcha timidement, portant l'enfant dans ses bras. Le bébé s'était blotti contre le sein de sa mère. Épuisé, il s'était endormi.

– Il s'est sacrifié…, gémit Kaylan. Je rêvais de le tuer, je l'accusais de tous les maux, et il nous a sauvés…

Il regarda la dépouille de Shaar-Lun. Libéré de son masque de haine, le visage du vagabond était détendu et serein. Ainsi, malgré les cheveux blancs et les cernes sombres, il redevenait le jeune homme qui s'était aventuré dans les souterrains avec lui, le voleur énigmatique qui avait triomphé à ses côtés des pièges de la Gueule du Dragon…

Le troisième Empereur-Mage légitime de Selenæ.

Kaylan appuya son front contre celui de son ancien compagnon :

– Pardon, mon frère, de t'avoir soupçonné.

Sheelba s'éclaircit la gorge derrière lui. Kaylan allongea Shaar-Lun avec précaution avant de se tourner vers elle.

– Je n'en ai plus pour longtemps, dit-elle simplement. Les forces des mages s'épuisent, et mon image va se dissoudre sous peu.

Elle lui tendit le bébé :

– Reviens-moi vite. Je vous attends tous les deux…

Elle commençait à perdre consistance quand Kaylan se releva d'un bond :

– Sheelba ! Attends !

Une question brûlait la langue de l'Empereur-Mage :

– Tout à l'heure, quand le poison m'a terrassé… Tu t'es penchée sur moi et tu m'as passé quelque chose sur les lèvres.

Elle acquiesça :

– Oui, c'était un antidote, mais je l'ignorais alors.

– D'où le tenais-tu ?

– De Shaar-Lun. Quand il s'est approché de moi pour te provoquer, il m'a glissé une petite fiole dans les cheveux, sans un mot. J'ai pris le risque de te l'administrer…

Cette révélation augmenta encore l'amertume de Kaylan :

– Il avait tout prévu. Tout cela n'était qu'une mise en scène pour éliminer le démon.

Sa voix se brisa.

– Il est parti, sanglota-t-il, et je n'ai même pas pu le remercier.

– Il avait choisi. Il a mené son combat seul.

Mais les mots de Sheelba ne parvenaient pas à réconforter Kaylan. Il lui adressa un geste reconnaissant. L'image de la jeune femme s'évanouissait déjà. Elle s'effaça et ses derniers mots résonnèrent aux oreilles de l'empereur :

– À bientôt, mon amour.

La mort dans l'âme, Kaylan réunit les survivants de son groupe. Il leur demanda d'emporter les corps de leurs compagnons tombés au combat, ainsi que celui de Shaar-Lun. L'Empereur-Mage n'aurait pas supporté de les abandonner dans les entrailles du Titan endormi. Il entendait leur donner une sépulture décente au cimetière impérial.

L'angoissante question du retour se posa : comment allaient-ils retrouver la surface, échapper au Dragon ? Ils ne pouvaient affronter à nouveau l'acide de son estomac, remonter le long de sa gorge…

Fort heureusement, Kaylan découvrit dans les appartements de Shaar-Lun un pentacle semblable à celui que le vagabond avait laissé dans le palais impérial. Il identifia quelques runes gravées en son centre :

– C'est un passage ! Nous allons pouvoir partir !

Il fouilla l'endroit, découvrit un grimoire qu'il consulta rapidement. Il y découvrit des notes personnelles de Shaar-Lun, et décida de l'emporter avec lui.

Puis il pénétra sans plus tarder dans le pentacle, l'enfant serré contre sa poitrine. Un à un, ses hommes le suivirent.

Le portail magique leur permit de quitter le corps du Dragon. Ils aboutirent dans un pentacle identique, au centre d'une caverne taillée dans la roche. Un couloir en escalier s'en échappait, qui remontait vers la surface.

Ils le gravirent en silence, perdus dans leurs pensées.

Avaient-ils rêvé ? S'éveillaient-ils d'un long cauchemar ?

Où étaient passés les boyaux humides et tortueux, dans lesquels ils avaient si longtemps erré ? Où se cachaient les créatures des Ténèbres qui les avaient harcelés dans les corridors ?

En lieu et place de ce chaos, ils ne trouvaient plus que des couloirs ouvragés et froids d'une rassurante régularité.

Tout était redevenu normal…

L'enfant gémissait sur la poitrine de son père. Ses plaintes se transformèrent en pleurs, puis en cris appuyés. « Il a faim », songea Kaylan. Mais il dut vite se rendre à l'évidence : les suppliques du bébé traduisaient une profonde douleur ; il s'agissait d'autre chose. C'était comme…

Kaylan secoua la tête pour chasser cette idée qu'il refusait de toutes ses forces. Non, ce ne pouvait être vrai !

Et pourtant…

Oui, à n'en point douter, c'était un déchirement !

Son fils éprouvait de la souffrance à s'éloigner du Dragon !

L'Empereur-Mage resta un moment indécis, berçant son enfant sans parvenir à le calmer ; puis il résolut de repartir, en priant pour que Sheelba et Arh'En Dal trouvent la source du mal qui rongeait le petit.

La suite ne fut qu'une longue marche forcée, pendant laquelle Kaylan ne s'accorda pas le moindre répit.

Quand ils atteignirent enfin l'air libre, au petit matin, Kaylan et ses compagnons furent accueillis par l'escorte impériale. On les fit monter dans un chariot, et on les emmena à Selenæ.

L'enfant était plongé dans un état de léthargie proche du coma.

Sheelba, folle d'inquiétude, les attendait sur les marches du grand escalier. Elle s'occupa immédiatement du bébé, qui s'était réveillé en arrivant au palais.

L'enfant s'agitait, gesticulait, ouvrait la bouche comme un poisson sorti de l'eau. Il n'avait plus la force de pleurer. Kaylan expliqua en quelques mots l'évolution de son état, et Sheelba l'écoutait en auscultant son fils.

– Il faut le ramener dans les souterrains, gémit-elle.

– Surtout pas ! intervint Arh'En Dal. Menez-le au temple, et laissez-le moi. Qu'on réunisse sur-le-champ les prêtres de la Lune sombre !

Kaylan et Sheelba lui confièrent leur bébé, et l'interminable attente commença. Rongés par l'angoisse, ils s'isolèrent dans leurs appartements. Les questions les plus folles tournaient dans leurs esprits tourmentés.

L'enfant serait-il condamné à vivre dans les profondeurs à son tour ? Était-il victime d'une malédiction, d'un sortilège du démon ?

Les yeux de Kaylan se posèrent sur le grimoire de Shaar-Lun, abandonné sur le lit avec ses maigres affaires. Les paroles de son compagnon lui revinrent brusquement en mémoire : « Trouve le livre ! Tout est dedans. »

Il tendit une main fébrile vers la couverture de cuir, frappée des initiales du vagabond.

L'ouvrage commençait par une longue lettre, adressée à Kaylan.

« Si tu lis ces lignes, Kaylan, c'est que je m'en suis allé et que tu as survécu.

J'ai longtemps hésité à écrire à Sheelba, mais j'ai craint que tu n'en prennes ombrage, mon impétueux ami.

Car c'est à toi qu'il me faut tout expliquer, tant il est vrai que j'aurai volontairement attisé ta haine ! J'ai détesté agir de la sorte, mais il le fallait, Kaylan, pour la survie de notre peuple.

Mon ami, mon frère, tu le sais maintenant : le Dragon n'est pas une légende. Le Titan existe, il vit tapi dans les entrailles de Selenæ…

Je m'en suis aperçu pour mon plus grand malheur

alors que je cherchais à étendre les frontières de mon territoire.

Ma curiosité et mon avidité – je dois en convenir ! – m'avaient attiré toujours plus profond.

J'ai finalement atteint le Dragon, et j'en ai payé le prix.

Je suis allé toujours plus loin, et j'ai rencontré les peuplades qui avaient élu domicile au sein du Titan. Je ne crois pas me tromper en affirmant qu'ils avaient été eux aussi des hommes, voilà bien longtemps, mais l'influence du monstre est telle que leur apparence et leur esprit ont été altérés. Certains se sont laissé gangrener par leur face obscure, d'autres se sont modifiés physiquement, mais refusent de faire le mal.

Mais tu dois savoir tout cela : en descendant pour me rejoindre, tu as dû les croiser.

J'ai finalement abouti dans ce château, dressé dans le ventre du Dragon. Je n'ai pas trouvé celui qui l'avait érigé. Sans doute a-t-il fallu user de magie, et peut-être est-ce en partie celle du Titan qui a permis un tel prodige…

J'ai également croisé la route d'un démon majeur, que j'avais involontairement invoqué. Celui-qu'on-ne-nomme-pas m'est apparu et m'a forcé à me soumettre. Pour ne pas mourir, j'ai feint l'enrôlement, et je me suis plié à quelques-uns de ses caprices.

Un jour, il m'a dévoilé son projet : réveiller le Dragon et permettre son envol… Le démon jubilait à l'idée que Selenæ serait rasée par un tel cataclysme, et que le chaos pourrait de nouveau régner sur la terre.

Celui-qu'on-ne-nomme-pas s'imaginait déjà régnant sur un tel désastre. Il pouvait réaliser le prodige, mais avait besoin d'un élément essentiel : du sang d'Empereur-Mage. Comme il se méfiait encore de moi, il m'a mis à l'épreuve en m'ordonnant d'enlever le nouveau-né.

Je devinais la douleur qui serait la vôtre, mais je ne pouvais faire autrement. En vous prévenant, je n'aurais pas manqué de me trahir, et tout mon plan se serait effondré.

Pour tromper Celui-qu'on-ne-nomme-pas, il me faudra jouer serré. Je ne pourrai accomplir mon sacrifice que lorsque le démon aura tracé son pentacle. J'aurai aussi besoin d'un guerrier téméraire qui l'éloignera de l'autel.

C'est ce qui s'est produit, je pense, si tu as découvert ce grimoire.

Fasse la Lune sombre que vous soyez sains et saufs, et que tu me pardonnes ! »

Suivait un journal, dans lequel Shaar-Lun relatait scrupuleusement le détail de ses aventures. Kaylan en parcourut quelques pages.

Le souvenir de son compagnon le hantait, et une boule douloureuse lui obstruait la gorge.

Comment avait-il pu se laisser ainsi emporter par la haine ? Pourquoi n'avait-il pas su deviner les intentions de Shaar-Lun ?

Il disait combattre pour la survie de son peuple, mais s'était aveuglé ; Shaar-Lun, lui, avait œuvré pour Selenæ, quand Kaylan poursuivait un but égoïste ! Il ne voyait en lui que le rival, l'amant rejeté… Il était passé à côté de l'ami fidèle, le véritable héros.

Pourrait-il jamais racheter sa conduite inqualifiable ?

Sheelba percevait le trouble de son époux. Elle l'enlaça tendrement et suivit quelques lignes du doigt, s'attardant sur l'écriture régulière de Shaar-

Lun. Par endroits, la plume avait griffé le parchemin :

« Ce soir, je suis allé au palais. J'ai terrorisé Sheelba. J'espère qu'un jour elle me comprendra. Mais je crois que j'ai bien tenu mon rôle : ils vont tous deux me croire coupable, et Kaylan va me poursuivre. Je souhaite de tout cœur que Kaylan se sorte du guêpier où je l'entraîne à son insu.

Mais il a de la ressource, il est intelligent et habile…

Fasse la Lune sombre qu'il survive !

Je ne m'en remettrais pas, s'il devait périr… »

Et, plus bas :

« L'enfant est là, je l'ai enlevé. Il réclame sa mère absente, mais ne souffre de rien d'autre. Je le nourris avec soin et m'applique à le rassurer. »

Quelques lignes plus loin, il avait raturé ces mots :

« J'aurais tant aimé, moi aussi, avoir un fils comme celui-là. »

Sheelba esquissa un sourire triste, qui serra le cœur de son époux ; mais aussitôt elle l'embrassa, et ils restèrent ainsi un long moment.

En toute fin d'ouvrage, une note était griffonnée d'une écriture nerveuse d'écorché vif :

« Celui-qu'on-ne-nomme-pas a mordu au piège. Il croit que je lui suis dévoué, que ma transformation physique m'a rendu fou… J'ai besoin de lui : en traçant le pentacle censé réveiller le Titan endormi, il m'offre l'occasion de le détruire lui-même. Ceux qui font appel à ces cercles de magie courent le risque de voir les forces invoquées se retourner contre eux.

Je prie ce soir pour que le Dragon sommeille longtemps. Quant à moi…

Au moins aurai-je débarrassé Selenæ du dernier prince des Ténèbres…

Fasse la Lune sombre que Sheelba, Kaylan et leur enfant ne périssent pas dans cette aventure.

Peut-être alors m'accorderont-ils le droit de survivre à travers eux… »

Après un long moment de recueillement, Kaylan ressentit le besoin impérieux de rendre une dernière visite à ses compagnons défunts. Sheelba le suivit dans la chapelle ardente qu'on avait aménagée dans une des pièces du palais. Les corps de Shaar-Lun, Toldo et des autres guerriers avaient été disposés sur des lits. On les avait rasés et vêtus avec soin. Ils paraissaient détendus, sereins, et Kaylan trouva du réconfort dans cette vision de calme.

Il s'attarda auprès de Toldo, le colosse qui l'avait sauvé en offrant sa vie, puis alla se recueillir auprès de Shaar-Lun.

Les prêtres avaient dissimulé les ailes démoniaques, et Kaylan leur en fut reconnaissant : ainsi, il garderait en mémoire l'image d'un vagabond au visage émacié, aux traits volontaires.

Un détail, pourtant, attira son attention : Shaar-Lun portait, à la base du cou, un tatouage qu'il n'avait jamais remarqué auparavant.

Sheelba, intriguée, se pencha à son tour.

– On dirait… un Dragon, murmura-t-elle.

Le dessin incrusté dans sa peau représentait effectivement une créature aérienne aux ailes ouvertes, qui paraissait voler.

– Sans doute une autre manifestation physique, témoignage de son séjour prolongé dans le ventre du Titan endormi, avança Kaylan.

Mais il ne se satisfaisait pas lui-même de cette explication. Il se pencha pour embrasser Shaar-Lun :

– Adieu, mon ami.

Puis il sortit précipitamment. Il ne voulait pas montrer son émotion... et craignait plus que tout de voir Sheelba faire de même.

– Je dois parler avec Arh'En Dal de ce tatouage, dit-il.

19

Kaylan se rendit à grands pas vers le temple. Arh'En Dal l'accueillit avec un large sourire.

– Tu n'as plus rien à craindre, ton fils est hors de danger. Les soins que nous lui avons prodigués ont été bénéfiques. Nous avons lancé des enchantements qui ont neutralisé tous les effets néfastes de son séjour dans le ventre du Dragon.

– Il n'en portera aucun stigmate ? Tu en es sûr ?

Le grand prêtre fit un geste vague de la main :

– Parlons plutôt d'un souvenir dont il pourra s'enorgueillir…

Kaylan eut une bouffée d'angoisse.

– Quoi ? Qu'est-ce qu'il a ? Je veux le voir !

Perdant soudain tout sens de la mesure, il écarta

Arh'En Dal sans ménagement et s'engouffra à l'intérieur du temple.

Il trouva son fils sous la nef.

Le bébé gazouillait dans son berceau, riant aux mimiques des moines dévoués qui l'amusaient en agitant marottes et crécelles. L'Empereur-Mage se pencha sur le nouveau-né. Il sursauta.

Les cheveux de son fils étaient d'un blond cendré, éclairé par des reflets de lune. Seules deux mèches noires s'échappaient de ses tempes pour encadrer son visage.

– Tu vois, le rassura Arh'En Dal, ce n'est pas grand-chose. Ces cheveux de jais seront l'ultime témoignage de sa descente aux enfers...

Kaylan poussa un long soupir de soulagement. Il manqua de fondre en larmes devant le spectacle de cet enfant qu'il avait cru mort plus d'une fois.

Il se ressaisit et entraîna le grand prêtre à l'écart.

– Je souhaitais te parler de Shaar-Lun, lui confia-t-il sur le ton du secret.

Arh'En Dal restait silencieux, mais ses yeux luisaient d'intérêt.

– Je suis allé le saluer une dernière fois, poursuivit Kaylan, et j'ai découvert sur son cou un tatouage curieux…

Il s'interrompit brutalement. Le grand prêtre avait tressailli, et son visage avait pris une teinte cireuse.

– Qu'as-tu dit ? bégaya-t-il.

Kaylan sentit une houle glacée lui envahir la nuque.

– Je te parlais d'un tatouage, en forme de… de Dragon.

Arh'En Dal lui saisit le bras et le ramena doucement vers le berceau. Là, il se pencha doucement au-dessus du bébé et écarta le col de son vêtement.

Kaylan étouffa une exclamation de surprise : son fils portait le même signe à la base du cou !

– Que signifie cette horreur ? coassa-t-il.

Arh'En Dal signifia son ignorance d'un mouvement d'épaules.

– Je ne puis rien t'en dire pour l'instant. Les mages du palais et les prêtres de mon ordre ont commencé des recherches. On se perd en conjectures : il peut s'agir de la marque des sectateurs qui avaient élu domicile dans ce palais…

Kaylan restait dubitatif : il connaissait trop bien

Arh'En Dal pour se laisser abuser, surtout quand le vieil homme mentait aussi mal.

– Non, affirma-t-il en foudroyant le grand prêtre du regard. J'ai ramené avec moi les notes de Shaar-Lun, et je les ai parcourues. Jamais il n'aurait autorisé qu'on touche à l'enfant !

Arh'En Dal dansait d'un pied sur l'autre, en proie à un tourment grandissant.

– Je ne peux rien te dire pour le moment, gémit-il. Mais tu dois me faire confiance : l'enfant ne risque plus rien ! Tu l'as ramené sain et sauf !

Kaylan serra les mâchoires, luttant pour ne pas céder à la colère.

– Soit, admit-il enfin. Je te laisse tes secrets. Mais il y a des choses que tu devras nous avouer, un jour ou l'autre. Si tu n'avais pas tant tardé à nous apprendre la vérité sur le Dragon, le prix à payer aurait été moins lourd !

Arh'En Dal leva sur lui des yeux emplis de compassion. Il détaillait les traits marqués de l'Empereur-Mage, sa chevelure laiteuse, les rides qui soulignaient ses yeux et la commissure de ses lèvres…

– Je sais ce que tu ressens, Kaylan. Il y a fort longtemps, je… Je suis moi-même passé par là.

Toute colère avait quitté Kaylan. Il mesurait la portée de cette révélation. Ainsi, Arh'En Dal avait lui aussi affronté le Titan endormi ?

Il se força à sourire, et le vieil homme lui en sut gré.

– Il faudra un jour tout me raconter, lâcha finalement Kaylan.

Le grand prêtre hocha la tête :

– Accorde-moi un peu de temps. Pour l'heure, il faut ramener l'enfant à sa mère et lui annoncer ses transformations physiques.

Kaylan prit délicatement son fils dans ses bras et repartit vers les appartements impériaux :

– Je m'en charge !

Le lendemain, les souverains présentèrent l'enfant à la foule en délire qui se pressait au pied des murailles du palais. On fêtait la victoire de Kaylan, le retour du souverain et de son enfant, et la paix retrouvée.

Les monarques saluèrent la population, puis l'Empereur-Mage prit son fils dans ses bras, déclenchant un tonnerre de vivats.

– Voici mon fils, hurla-t-il, voici votre futur empereur !

Sa voix se brisa, tandis qu'il poursuivait :

– Et son nom est… Shaar-Lun !

Sheelba fronça les sourcils : il lui semblait avoir vu le tatouage palpiter à ces mots.

– Le Dragon…, balbutia-t-elle.

Sur la peau de son fils, le Dragon s'était éveillé !

Vous trouverez la suite des aventures
de Sheelba et Kaylan dans le tome 3,
L'envol du dragon,
qui paraîtra en novembre 2000.

LES EMPEREURS-MAGES

Tome 1 – Le souffle du dragon
Tome 2 – L'éveil du dragon
Tome 3 – L'envol du dragon

Cet ouvrage
a été transcodé
et achevé d'imprimer
en mai 2000
par l'Imprimerie Floch
53100 – Mayenne.

Dépôt légal : juin 2000.
N° d'imprimeur : 48454.
N° d'éditeur : 6181.
Imprimé en France.